[注音彩绘版]

弟子规

DI ZI GUI

■（清）李毓秀 著 ■郭奇 编

P9-CRU-816

CHISO 新疆青少年出版社

图书在版编目(CIP)数据

弟子规 / (清)李毓秀著;郭奇编. -- 乌鲁木齐:
新疆青少年出版社,2011.10
ISBN 978-7-5515-0331-0

Ⅰ.①弟… Ⅱ.①李… ②郭… Ⅲ.①汉语-古代-
启蒙读物 Ⅳ.①H194.1

中国版本图书馆 CIP 数据核字(2011)第 208484 号

弟子规

(清)李毓秀 著
郭奇 编

出　　版:新疆青少年出版社

社　　址:乌鲁木齐市北京北路 29 号　　邮政编码:830012

电　　话:0991-7833938(编辑部)

网　　址:http://www.qingshao.net

发　　行:新疆青少年出版社营销中心

电　　话:0991-7833946　　　　法律顾问:钟麟 13201203567

经　　销:全国新华书店

印　　刷:湖北金海印务有限公司

开　　本:710×1000　　1/16

印　　张:12　　　　　　　字　数:80 千字

版　　次:2011 年 11 月第 1 版

印　　次:2011 年 11 月第 1 次印刷

书　　号:ISBN 978-7-5515-0331-0

定　　价:19.80 元

CHISO 版权所有,侵权必究。如有印装问题,可与承印厂联系调换。

编者的话

　　一本好书，就像一棵挺拔的小树。也许，小树摇曳的身姿给我们的不只是清风；也许，伸展的树枝给我们的不只是绿荫；也许，美丽的树叶给我们的不只是喜悦；也许，含苞待放的花蕾给我们的不只是希望……在书的世界里，阳光永远是暖暖的，智慧永远是闪闪的；在书的世界里，我们流连忘返，我们沉醉不知归路。

　　在那些好书中，总有一些故事感动我们的心灵；总有一些智慧启发我们的思想；总有一些感悟陪伴我们成长；总有一些亲情温暖我们的心房；总有一些哲理让我们终身受益；总有一些经历让我们心怀感恩；总有一些美文让我们回味一生；总有一些名人鼓励我们实现梦想，让我们信心百倍，勇往直前。

　　而童年，被无数人眷念，被无数文人和艺术大师深情歌咏的美妙童年，又怎能缺少书的陪伴呢？当孩子被一本本精彩的书所吸引，或者好奇地问为什么小虫有那么多只脚，而我们只有两个……大概每个家长都会从心底感谢阅读带给孩子这样新奇的体验。

也许，孩子的早期阅读并不像一棵小树的成长那样，发芽、开花、结果，每一步都清晰可见，但它会潜移默化地根植于孩子的心中，今天种下一点点奇妙的想象力，明天种下一点点爱心和好奇心……积年累月，撑起一大片树荫，在孩子的成长路上为他遮风挡雨。

孩子，请打开这一本本妙不可言的好书吧，不要问我，将来会怎样？我的梦想在哪里？这世界很小又很大，一本书，就是一个小小的阶梯，拾级而上，就总有到达的一天；一本书就是一轮小小的太阳，阳光洒下来，就总会有温暖和收获。孩子，愿这些书成为你的良师益友，为你的生活添一丝色彩，为你的心灵增一点活力。

目录 CONTENTS

96 借人物，及时还，
人借物，有勿悭。

98 凡出言，信为先，
诈与妄，奚可焉？

101 说话多，不如少，
惟其是，勿佞巧。

103 刻薄语，秽污词，
市井气，切戒之。

105 见未真，勿轻言，
知未的，勿轻传。

107 事非宜，勿轻诺，
苟轻诺，进退错。

109 凡道字，重且舒，
勿急疾，勿模糊。

111 彼说长，此说短，
不关己，莫闲管。

112 见人善，即思齐，
纵去远，以渐跻。

115 见人恶，即内省，
有则改，无加警。

117 惟德学，惟才艺，
不如人，当自励。

119 若衣服，若饮食，
不如人，勿生戚。

121 闻过怒，闻誉乐，
损友来，益友却。

123 闻誉恐，闻过欣，
直谅士，渐相亲。

126 无心非，名为错，
有心非，名为恶。

128 过能改，归于无，
倘掩饰，增一辜。

131 凡是人，皆须爱，
天同覆，地同载。

133 行高者，名自高，
人所重，非貌高。

135 才大者，望自大，
人所服，非言大。

137 己有能，勿自私，
人有能，勿轻訾。

139 勿谄富，勿骄贫，
勿厌故，勿喜新。

141 人不闲，勿事搅；
人不安，勿话扰。

143 人有短，切莫揭；
人有私，切莫说。

145 道人善，即是善，
人知之，愈思勉。

147 扬人恶，即是恶，
疾之甚，祸且作。

149 善相劝，德皆建；
过不规，道两亏。

151 凡取与，贵分晓，
与宜多，取宜少。

154 将加人，先问己，
己不欲，即速已。

156 恩欲报，怨欲忘，
报怨短，报恩长。

158 待婢仆，身贵端，
虽贵端，慈而宽。

160 势服人，心不然，

理服人，方无言。

162 同是人，类不齐，
流俗众，仁者稀。

164 果仁者，人多畏，
言不讳，色不媚。

166 能亲仁，无限好，
德日进，过日少。

168 不亲仁，无限害，
小人进，百事坏。

170 不力行，但学文，
长浮华，成何人？

172 但力行，不学文，
任己见，昧理真。

174 读书法，有三到，
心眼口，信皆要。

176 方读此，勿慕彼，
此未终，彼勿起。

178 宽为限，紧用功，
工夫到，滞塞通。

180 心有疑，随札记，
就人问，求确义。
房屋清，墙壁净，
几案洁，笔砚正。

182 墨磨偏，心不端，
字不敬，心先病。

184 列典籍，有定处，
读看毕，还原处。
虽有急，卷束齐，
有缺损，就补之。

186 非圣书，屏勿视，
蔽聪明，坏心志。
勿自暴，勿自弃，
圣与贤，可驯致。

dì zǐ guī　shèng rén xùn

弟子规，圣人训；

shǒu xiào tì　cì jǐn xìn

首孝弟，次谨信。

【注释】规：准则。训：教导。首孝弟：语出《论语·学而》篇，"子曰：弟子入则孝，出则弟，谨而信，泛爱众，而亲仁，行有余力，则以学文"。孝弟，《荀子·王制》："能以事亲谓之孝，能以事兄谓之弟。"弟，通"悌"。

【译文】作为学生要有学生的言行规范，这是古代圣贤的教导，首先要做到孝敬父母，尊重兄长，其次要做事谨慎，为人真诚，讲信用。

代父从军

huā mù lán shì běi wèi rén　tā dài fù cóng

花木兰是北魏人，她代父从

jūn de gù shi zài zhōng guó fù rú jiē zhī

军的故事在中国妇孺皆知。

yǒu yì nián huáng dì xià dá zhēng bīng de mìng

有一年，皇帝下达征兵的命

lìng qià féng huā mù lán de fù qīn zhòng bìng bù

令，恰逢花木兰的父亲重病，不

néng cān jūn cóng zhēng ér shàng miàn yòu cuī bī de

能参军从征，而上面又催逼得

jǐn huā mù lán zhǐ hǎo nǚ bàn nán zhuāng tì fù

紧。花木兰只好女扮男装，替父

cóng jūn。huā mù lán cóng jūn shí èr nián，jìng rán méi yǒu yí gè rén
从军。花木兰从军十二年，竟然没有一个人
fā xiàn tā shì yì míng nǔ zǐ
发现她是一名女子。

huā mù lán zài zhàn chǎng shang yīng yǒng shàn zhàn，jiàn lì le zhuó yuè
花木兰在战场上英勇善战，建立了卓越
de gōng xūn，dé dào huáng dì de qīn zì zhào jiàn hé jiā jiǎng。huā mù
的功勋，得到皇帝的亲自召见和嘉奖。花木

lán miàn duì míng lì，què cóng róng dàn
兰面对名利，却从容淡
bó，zhǐ yāo qiú huáng dì pī zhǔn tā
泊，只要求皇帝批准她
jiě jiǎ huí xiāng，shì fèng nián mài de
解甲回乡，侍奉年迈的
fù mǔ
父母。

huā mù lán yǒng gǎn ér chún pǔ，
花木兰勇敢而淳朴，
qiān bǎi nián lái，tā yì zhí shì shòu
千百年来，她一直是受
zhōng guó rén chuán sòng de yí wèi jīn guó
中国人传颂的一位巾帼
yīng xióng，tā de gù shi yě shì yì
英雄，她的故事也是一
shǒu bēi zhuàng de yīng xióng shǐ shī
首悲壮的英雄史诗。

2

fàn ài zhòng ér qīn rén
泛 爱 众 ，而 亲 仁 ，
yǒu yú lì zé xué wén
有 余 力 ，则 学 文 。

【注释】亲仁：亲近道德品格高尚的人。学文：多读书多学习。

【译文】做人要有爱心，博爱众生，关怀苍生，应该亲近那些道德品格高尚的人；精力有余，时间充足，应该多读书多学习。

杜林与古文经学

dōng hàn shí yǒu ge rén jiào dù lín qí
东汉时，有个人叫杜林，其
shào nián shí xìng gé chén wěn kù ài xué xí
少年时性格沉稳，酷爱学习。
dù lín jiā li de cáng shū hěn duō hái
杜林家里的藏书很多，还
bài wén zhì bīn bīn de zhāng sōng wéi shī
拜文质彬彬的张竦为师，
xiàng tā qiú jiào yīn cǐ dù lín jiàn duō
向他求教。因此杜林见多
shí guǎng zhī shi yuān bó dāng shí de rén
识广，知识渊博，当时的人
dōu chēng tā tōng rú wáng mǎng zhàn bài
都称他"通儒"。王莽战败

后，杜林曾遭逮捕而被监禁。光武帝登基称帝后释放了他，并让他做了御史。京城的官员们都认为他知识广博。

当时，来自河南的郑兴、东海的卫宏都擅于古文经学。济南的徐巡拜卫宏为师，后来他们师徒二人又同拜杜林为师。杜林曾在西州得到漆书古文尚书一卷，把这书当宝贝一样看待，书不离身。杜林把这本书拿给卫宏、徐巡看，还说："我十分害怕这本书被人毁灭，让这门学问绝迹。古文经书现在虽不受重视，但是我希望你们能对自己之所学加倍珍惜。"由于卫宏等人的重视，古文经学才得以流传下来。

fù mǔ hū，yìng wù huǎn
父母呼，应勿缓；
fù mǔ mìng，xíng wù lǎn
父母命，行勿懒。

5

【注释】父母呼，应勿缓：《礼记·玉藻》："父母呼，唯而不诺，手执业则投之，食在口则吐之，走而不趋。"呼：叫。勿：不要。懒：偷懒。

【译文】父母叫你，应该及时答应，不要拖延；父母要求你做的事，要认真去做，不要拖拉偷懒。

孝心感天

wáng xiáng shì jìn cháo rén wéi rén shí fēn xiào
王祥是晋朝人，为人十分孝
shùn wáng xiáng shào nián sàng mǔ jì mǔ cháng zài wáng
顺。王祥少年丧母，继母常在王
xiáng de fù qīn miàn qián shuō wáng xiáng de huài huà yīn
祥的父亲面前说王祥的坏话，因
cǐ fù qīn bú zài chǒng ài tā bìng ràng tā tiān tiān gàn
此，父亲不再宠爱他，并让他天天干
zhòng huó
重活。

dàn shì wáng xiáng duì zì jǐ de jì mǔ què háo wú yuàn
但是王祥对自己的继母却毫无怨
yán xiāng fǎn shì fèng de gèng jiā zhōu dào xì zhì fù mǔ
言，相反侍奉得更加周到细致。父母
yǒu bìng shí tā chè yè zài páng qīn zì cì hou
有病时，他彻夜在旁亲自伺候。

6

有一年的冬天,寒风刺骨,继母突然想吃生鱼,王祥就不顾天寒地冻,准备下水捕鱼。结果冰层自动破开,跳出两条鲤鱼。

又有一次,他的继母想吃烤熟的黄雀,王祥便捉了一只,亲自烤熟,送给继母吃。继母吃完之后却还想吃,这时竟有几十只黄雀误入他的罗网。对此,邻居十分震惊,认为是王祥的孝心感动上天的缘故。汉末,天下大乱,王祥带着继母、幼弟逃难,在庐江隐居长达三十年。

州、郡的长官几次让他出任官职,他却以侍奉老母为由加以拒绝。继母去世后,他更是痛不欲生。王祥孝顺的方式虽然有些太过,但其精神可嘉,让人钦佩。

fù mǔ jiào xū jìng tīng

父母教，须敬听；

fù mǔ zé xū shùn chéng

父母责，须顺承。

【注释】教：教导。责：斥责。

【译文】父母的教导，必须恭恭敬敬地听从；父母的斥责是有道理的，应该虚心地接受。

闵子骞谏父

mǐn zǐ qiān chūn qiū shí rén qí mǔ zǎo shì fù qīn yīn bù
闵子骞，春秋时人。其母早逝，父亲因不
kān jiā wù zhòng dàn yòu qǔ le yí wèi qī zi mǐn zǐ qiān zì yòu
堪家务重担，又娶了一位妻子。闵子骞自幼
quē fá mǔ ài yǒu le hòu niáng zì rán bèi gǎn gāo xìng dàn shì hòu
缺乏母爱，有了后娘，自然备感高兴，但是后
niáng què bù xǐ huan tā
娘却不喜欢他。

hòu niáng shēng le liǎng gè ér zi yǐ hòu duì
后娘生了两个儿子以后，对
tā gèng shi kè bó mǐn zǐ qiān jiàn jiàn dǒng shì
他更是刻薄。闵子骞渐渐懂事，
zhī dào hòu niáng yǒu sī xīn dàn tā bìng bù jí hèn
知道后娘有私心，但他并不嫉恨。

mǐn zǐ qiān de fù qīn jí shǎo guò wèn jiā shì
闵子骞的父亲极少过问家事。
mǐn zǐ qiān què rèn rǔ fù zhòng fán shì jiǎng jiū xiào
闵子骞却忍辱负重，凡事讲究孝

悌。弟弟年龄尚小，还不懂世事。唯独后娘，心地不纯，使这个小家庭暗藏危机。后来，父亲发现闵子骞的棉衣为芦花所做，极为恼怒，并打算休掉后娘。

闵子骞说："后娘毕竟也是娘啊！"又说："后娘只让我自己受冻，并不让弟弟也受冻啊！爹爹要为弟弟着想啊！"这时，闵子骞的两个弟弟也来跪求父亲。闵子骞的父亲看着三个孝顺的儿子，他又把妻子叫来，告诫她要宽厚仁慈，一视同仁。她羞愧难当，点头应允。

闵子骞的孝心与孝行令后娘极为感动。从此以后，她完全改变了态度，这样一家人才真正地和睦起来。

dōng zé wēn　　xià zé qìng
冬则温，夏则清；
chén zé xǐng　　hūn zé dìng
晨则省，昏则定。

【注释】省：向父母请安。定：使……安定。

【译文】子女应该孝敬父母，冬天要让他们穿暖和，夏天应该让他们尽享清凉；早晨要到父母跟前恭恭敬敬地请安，晚上应该替他们铺好床铺，侍候父母睡觉。

黄香温席

xiāng chuán dōng hàn shí qī yǒu yí gè jiào huáng xiāng de hái zi　yīn mǔ
相传东汉时期有一个叫黄香的孩子，因母
qīn zǎo shì hé fù qīn xiāng yī wéi mìng huáng xiāng suī
亲早逝，和父亲相依为命。黄香虽
rán hěn xiǎo què zhī dào yào xiào jìng fù qīn
然很小，却知道要孝敬父亲。

xià tiān tiān qì rè měi tiān wǎn shang tā
夏天天气热，每天晚上他
dōu xiān gěi fù qīn shān liáng zhěn xí yǐ biàn fù
都先给父亲扇凉枕席，以便父
qīn ān xiē dōng tiān tiān qì hán lěng tā měi
亲安歇；冬天天气寒冷，他每
tiān wǎn shang dōu yào xiān shàng chuáng yòng zì jǐ de
天晚上都要先上床，用自己的
tǐ wēn bǎ bèi rù wù rè zài ràng fù qīn shàng
体温把被褥焐热，再让父亲上

chuáng shuì jiào
床睡觉。

huáng xiāng xiǎo
黄香小

xiǎo nián jì jiù
小年纪，就

yǒu zhè yàng de xiào
有这样的孝

xīn yě shǐ tā zài zuò
心，也使他在做

rén qiú xué shàng yǒu suǒ
人、求学上有所

chéng jiù hòu lái tā
成就。后来他

dāng le guān chéng wéi yǐ
当了官，成为以

xiào wén míng yǐ xiào shī
孝闻名、以孝施

zhèng de bǎng yàng huáng xiāng
政的榜样。黄香

de shì jì bèi lì dài chuán sòng chéng wéi zhù míng de èr shí
的事迹被历代传颂，成为著名的"二十

sì xiào zhī yī
四孝"之一。

chū bì gào   fǎn bì miàn
出 必 告 ，反 必 面 ；

jū yǒu cháng   yè wú biàn
居 有 常 ，业 无 变 。

【注释】出：出门。反：通"返"，返回，归来。面：用作动词，问候。

【译文】出门的时候不要忘记告诉父母，回来不要忘记通报一声，免得父母担心不安，居住的地方一定要安稳，工作也不能随意变动，以免父母担忧。

神童陆绩

sān guó shí qī   wú guó de lù jì fēi cháng xiào shùn   xiào míng guǎng
三国时期，吴国的陆绩非常孝顺，孝名广

chuán tiān xià   lù jì shì gè cōng huì de hái zi   kù ài dú shū
传天下。陆绩是个聪慧的孩子，酷爱读书，

jiàn shí guǎng bó   yǐ shén tóng   zhù chēng
见识广博，以"神童"著称。

suì shí   lù jì biàn zài jiǔ jiāng bài
6岁时，陆绩便在九江拜

jiàn dà míng dǐng dǐng de yuán shù   tā duì
见大名鼎鼎的袁术。他对

yuán shù de wèn tí dōu néng duì dá
袁术的问题都能对答

rú liú   bù bēi bú kàng
如流，不卑不亢。

袁术对陆绩的学识深为赏识，就破例赐坐，还赐以柑橘。陆绩吃过一个后，想到母亲不能吃到，很是遗憾，于是就悄悄往怀中塞了三个，准备带回去孝敬母亲。

不料，当陆绩拜辞袁术弯腰作揖时，柑橘却自怀中掉出。袁术很是震惊，而陆绩却并没有感到尴尬，神色自若地说，怀揣柑橘是为了带回去孝敬母亲。

这样的应答，让袁术对他更加赏识，认为陆绩不仅才学高绝，而且品行超拔。他的孝道也被广为传颂。

shì suī xiǎo　wù shàn wéi
事虽小，勿擅为；
gǒu shàn wéi　zǐ dào kuī
苟擅为，子道亏。

【注释】苟：如果。子道：做儿子之礼义。

【译文】事情无论多么微小，都不可擅作主张；如果任性而为，有失子女本分。

周处的改变

xī jìn shí qī yǒu gè jiào zhōu chǔ de rén
西晋时期，有个叫周处的人。
tā de bì lì hěn dà dàn tā bù jiǎng dào
他的臂力很大，但他不讲道
dé sì yì wàng wéi xiāng lín jiāng
德，肆意妄为，乡邻将
tā kàn chéng yí dà hài
他看成一大害。
yǒu yì tiān tā xǐng wù le
有一天他醒悟了，
fā shì yào huǐ guò zì xīn tā
发誓要悔过自新。他
duì xiāng li guǎn shì de lǎo rén shuō
对乡里管事的老人说：
jīn nián fēng tiáo yǔ shùn nǐ wèi
"今年风调雨顺，你为
hé chóu róng mǎn miàn ér bú kuài lè ne
何愁容满面而不快乐呢？"

弟 子规
DI ZI GUI

lǎo rén gǎn tàn shuō   sān hài hái méi chú   zěn me néng kuài lè ne
老人感叹说:"三害还没除,怎么能快乐呢?"

zhōu chǔ wèn   nǎ sān hài
周处问:"哪三害?"

lǎo rén huí dá shuō   nán shān de bái
老人回答说:"南山的白

é měng hǔ   cháng qiáo xià de jiāo lóng   zài
额猛虎;长桥下的蛟龙,再

jiā shàng nǐ jiù shi sān hài le
加上你就是三害了!"

yú shì   zhōu chǔ jiù dú zì jìn rù
于是,周处就独自进入

le shēn shān lǎo lín   shè sǐ le bái é měng
了深山老林,射死了白额猛

hǔ   rán hòu   yòu lái dào cháng qiáo   shā sǐ
虎;然后,又来到长桥,杀死

le jiāo lóng
了蛟龙。

rén men bēn zǒu xiāng gào   qìng
人们奔走相告,庆

hè bù yǐ   zhōu chǔ fǎn huí xiāng
贺不已。周处返回乡

li   kàn dào le xiāng rén xiāng hù qìng
里,看到了乡人相互庆

hè   zuì hòu cái míng bai xiāng rén shì
贺,最后才明白乡人是

zài qìng hè zì jǐ yǔ
在庆贺自己与

jiāo lóng tóng guī yú jìn
蛟龙同归于尽。

zhōu chǔ cái zhī dào zì
周处才知道自

jǐ yǐ qián shì duō me
己以前是多么

lìng rén yàn wù
令人厌恶!

周处心
中不安,于
是登门拜访陆
机、陆云兄弟。

陆云对他说:"古时候的人贵在
能说到做到,早晨学到了一些道理,当天晚
上便能改过自新。你还年轻,还很有前途。"
周处听了陆云的话,很受激励。于是他
勤奋好学,变成了一个有修养的人,他也因
此声名远扬。

wù suī xiǎo wù sī cáng
物虽小，勿私藏；
gǒu sī cáng qīn xīn shāng
苟私藏，亲心伤。

【注释】藏：隐藏。亲：父母。伤：伤心。

【译文】东西尽管很小，也不要据为己有；假如私自藏起来，就会使父母很伤心。

恪尽孝道

gǔ shí hou yǒu yí gè xiào
古时候有一个孝
zǐ jiào lǎo dào zǐ tā de gù
子，叫老道子，他的故
shì guǎng wéi liú chuán
事广为流传。

lǎo dào zǐ yì shēng méi yǒu
老道子一生没有
chū rèn guān zhí jiā jìng kùn dùn tā yǔ qī zi qín
出任官职，家境困顿。他与妻子勤
láo de gēng zuò wéi chí shēng jì dāng shí zhū hóu zhēng
劳地耕作，维持生计。当时诸侯争
fēng shì dào hùn luàn wèi ràng fù mǔ miǎn zāo bīng huāng mǎ luàn zhī kǔ
锋，世道混乱。为让父母免遭兵荒马乱之苦，
tā biàn dài lǐng yì jiā rén táo dào méng shān yí dài dìng jū kāi huāng zhòng
他便带领一家人逃到蒙山一带定居，开荒种
dì zì shí qí lì jiā li quē chī shǎo chuān tā biàn chū shān dǎ
地，自食其力。家里缺吃少穿，他便出山打

柴_{chái} 挑_{tiāo} 到_{dào} 附_{fù}
近_{jìn} 集_{jí} 市_{shì} 去_{qù}
卖_{mài}，换_{huàn}回_{huí}柴_{chái}米_{mǐ}油_{yóu}盐_{yán}，
供_{gōng}养_{yǎng}父_{fù}母_{mǔ}。

老_{lǎo}道_{dào}子_{zǐ}还_{hái}做_{zuò}到_{dào}大_{dà}小_{xiǎo}事_{shì}
必_{bì}告_{gào}知_{zhī}于_{yú}父_{fù}母_{mǔ}，大_{dà}小_{xiǎo}物_{wù}必_{bì}展_{zhǎn}示_{shì}
于_{yú}父_{fù}母_{mǔ}，自_{zì}已_{jǐ}和_{hé}父_{fù}母_{mǔ}间_{jiān}无_{wú}私_{sī}心_{xīn}杂_{zá}念_{niàn}，
没_{méi}有_{yǒu}感_{gǎn}情_{qíng}隔_{gé}膜_{mó}。

不_{bù}管_{guǎn}生_{shēng}活_{huó}如_{rú}何_{hé}，老_{lǎo}道_{dào}子_{zǐ}一_{yì}如_{rú}既_{jì}往_{wǎng}恪_{kè}尽_{jìn}孝_{xiào}
道_{dào}，按_{àn}既_{jì}往_{wǎng}的_{de}原_{yuán}则_{zé}孝_{xiào}顺_{shùn}父_{fù}母_{mǔ}。

老_{lǎo}道_{dào}子_{zǐ}说_{shuō}："人_{rén}生_{shēng}在_{zài}世_{shì}，不_{bù}应_{yīng}奢_{shē}求_{qiú}太_{tài}多_{duō}。
鸟_{niǎo}兽_{shòu}身_{shēn}上_{shang}掉_{diào}下_{xià}的_{de}毛_{máo}羽_{yǔ}足_{zú}够_{gòu}我_{wǒ}穿_{chuān}，鸟_{niǎo}兽_{shòu}觅_{mì}食_{shí}后_{hòu}
丢_{diū}下_{xià}的_{de}粮_{liáng}粒_{lì}足_{zú}够_{gòu}我_{wǒ}吃_{chī}。还_{hái}有_{yǒu}什_{shén}么_{me}是_{shì}不_{bù}可_{kě}以_{yǐ}满_{mǎn}
足_{zú}的_{de}呢_{ne}？"

qīn suǒ hào   lì wéi jù
亲所好，力为具；

qīn suǒ wù   jǐn wéi qù
亲所恶，谨为去。

【注释】具：准备，置办。谨：谨慎。

【译文】父母双亲喜欢的东西，要尽力为他们准备妥当；而父母双亲厌恶的东西，就要小心谨慎地为他们去掉。

郯子的孝道

chūn qiū shí qī   zài wèi yú jīn tiān shān dōng
春秋时期，在位于今天山东
bàn dǎo de dì fāng yǒu yí gè tán guó tán guó guó
半岛的地方有一个郯国。郯国国
jūn de ér zi tán zǐ zì xiǎo biàn xiào míng yuǎn yáng
君的儿子郯子自小便孝名远扬。

yóu yú fù mǔ nián mài   ér qiě dōu huàn yǎn
由于父母年迈，而且都患眼
jí tán zǐ biàn chéng xí le guó jūn dà wèi   tán
疾，郯子便承袭了国君大位。郯
zǐ dāng guó jūn hòu dì yī jiàn shì biàn shì xiǎng fāng shè
子当国君后第一件事便是想方设
fǎ zhì liáo fù mǔ de yǎn jí   dài fu shuō zhè zhǒng
法治疗父母的眼疾。大夫说这种
bìng zhèng zhì liáo de zuì hǎo bàn fǎ shì yǐn yòng lù rǔ   bìng yòng lù rǔ
病症治疗的最好办法是饮用鹿乳，并用鹿乳
xǐ yǎn
洗眼。

但鹿乳难得，郯子便亲自带了几个侍从，整日钻深山，希望能找到鹿群。可是鹿天性机敏，不等他们靠近，早跑得不见了踪迹。

郯子等人望鹿兴叹，却也无可奈何。郯子因此寝食难安，苦思冥想得到鹿乳的方法。

忽然，他突发奇想：为何不把自己化装成一只鹿去接近鹿群呢？于是，郯子便找来了一张鹿皮，将自己化装成了一只鹿的模样。

这一天，郯子早早进入山林，等待鹿群出现，他趴在地上，忽然发现一支箭正瞄着自己。

他赶紧站起来，大喊："别射，我是人！"然后述说了原委。猎人方才明白，自己面前的人竟是国君。郯子的孝心孝行令猎人极为

gǎn dòng tā gào su tán zǐ zì jǐ jiā zhōng yǒu yì tóu mǔ lù
感动，他告诉郯子自己家中有一头母鹿。

huí dào jiā zhōng tán zǐ jiù yòng lù rǔ gěi fù mǔ xǐ yǎn jing
回到家中，郯子就用鹿乳给父母洗眼睛。

jǐ tiān yǐ hòu tā fù mǔ de yǎn jí biàn quán yù le
几天以后，他父母的眼疾便痊愈了。

tán zǐ jǐ cì dēng mén xiàng liè rén biǎo shì xiè yì liè rén lǎo
郯子几次登门向猎人表示谢意，猎人老

shi hòu dào zhǐ shuō bú yòng xiè le nǐ zhǐ yào bǎ tán guó zhì
实厚道，只说："不用谢了，你只要把郯国治

lǐ hǎo bǎi xìng yǒng xiǎng ān kāng jiù xíng le cǐ hòu
理好，百姓永享安康就行了。"此后，

tán zǐ jǐn jì liè rén de huà jīng xīn zhì lǐ guó jiā
郯子谨记猎人的话，精心治理国家，

qín zhèng ài mín tí chàng xiào dào shǐ xiǎo xiǎo de tán guó
勤政爱民，提倡孝道，使小小的郯国

shèng jí yì shí
盛极一时。

shēn yǒu shāng　yí qīn yōu
身有伤，贻亲忧；

dé yǒu shāng　yí qīn xiū
德有伤，贻亲羞。

【注释】身有伤：《孝经》："身体发肤受之父母，不敢毁伤，孝之始也。立身行道，扬名于后世，以显父母，孝之终也。"贻：留给。

【译文】要爱护自己的身体，并且严守道德，做一个健康而高尚的人。因为身体有了伤痛，就会让父母担心；道德败坏，就会让父母也跟着丢丑。

朱寿昌除害

sòng rén zōng dāng zhèng qī jiān　chū le yì míng xiào zǐ　míng jiào zhū
宋仁宗当政期间，出了一名孝子，名叫朱

shòu chāng　tā de fù qīn zhū xùn shì jūn rén chū shēn
寿昌。他的父亲朱巽是军人出身。

fù qīn lí shì hòu　tā biàn jì chéng fù qīn yí
父亲离世后，他便继承父亲遗

zhì　bù rù shì tú　tā rèn zhī zhōu shí
志，步入仕途。他任知州时，

zhōu jìng nèi shuǐ dào fēng qǐ　sì yì shā rén yuè huò
州境内水盗蜂起，肆意杀人越货。

zhū shòu chāng dào rèn hòu　biàn jiāng
朱寿昌到任后，便将

suǒ yǒu chuán zhī tǒng yī biān hào　bìng kè
所有船只统一编号，并刻

上船主的姓名，使他们能相互监督，发现水盗行凶，就百舸齐发，合力讨之。经过这种办法，当地水盗大大减少。

后来，他又被调到四川阆州做知州。阆州有个土豪雍子良，无恶不作。朱寿昌当阆州知州后，雍子良又行凶杀人。官府追查下来，雍子良玩弄手段，用十万银钱买通了一个老农作伪证。朱寿昌明察暗访，弄清了真相，便当着老农的面，揭穿了雍子良的阴谋诡计。

老农翻然悔悟，便把雍子良的恶行及阴谋全盘托出。铁证如山，雍子良也只能伏法。朱寿昌为民除去了一大公害，受到人们的热烈颂扬。

qīn ài wǒ xiào hé nán
亲 爱 我 ， 孝 何 难 ？

qīn wù wǒ xiào fāng xián
亲 恶 我 ， 孝 方 贤 。

【注释】孝：孝顺。方：才。贤：可贵。

【译文】如果父母双亲喜爱我，我要做到孝顺是不难的；
而当父母双亲不喜爱我时，我更要孝顺父母，这是最可贵的。

虞舜的大度

yú shùn yòu nián sàng mǔ　　fù qīn yòu shuāng mù shī míng　　yīn cǐ
虞舜幼年丧母，父亲又双目失明，因此

quē shǎo le fù ài hé mǔ ài
缺少了父爱和母爱。

hòu lái　máng fù qīn yòu qǔ le yí gè qī
后来，盲父亲又娶了一个妻

zi　　hòu niáng zhǎng xiàng chǒu lòu　　pí qì
子。后娘长相丑陋，脾气

bào zào　xiōng hěn　　yì nián hòu　tā shēng
暴躁、凶狠。一年后，她生

le yí gè ér zi jiào xiàng　máng fù qīn
了一个儿子叫象。盲父亲

piān xīn　téng ài hòu qī hé yòu zǐ　duì
偏心，疼爱后妻和幼子，对

dài yú shùn què bù lěng bú rè
待虞舜却不冷不热。

yú shùn zhuǎn yǎn　　suì le　chéng le
虞舜转眼20岁了，成了

声名远扬的一位大孝子。又过了十年，唐尧帝准备退位让贤，大家一致推荐虞舜。于是，尧帝就让自己的儿子与舜交往，以观察他的处世能力；又把两个女儿嫁与他，以观察他的治家本领。

父母和弟弟看到舜有财产又有美妻，非常嫉恨。象就鼓动父母除去舜，想把其所有据为己有。

有一天，父母叫舜去淘井，然而，等舜下到井中，父母和弟弟却奋力向井中填土，然后准备分割他的财产。

就在象得意忘形的时候，舜却突然站在了象的面前，这让象大为吃惊，尴尬到了极点。而舜却一点没有生气，他大度地对象说："很好，既然这样，你以后就可以同我共同治理天下了。"象听了哥哥的话，无地自容，夺门而走。

原来，舜事先在井中挖了一个大洞。妻子见丈夫好好地活着归来，也是悲喜交加。

尧帝经过一段时间的考察，认为舜确实治民有为，于是放心地让位于虞舜，让他治理天下万民。

26

qīn yǒu guò   jiàn shǐ gēng
亲有过，谏使更，

yí wú sè   róu wú shēng
怡吾色，柔吾声。

【注释】亲有过，谏使更：《礼记·内则》："子之事亲也，三谏而不听，则号泣而随之。""父母有过，下气怡色，柔声以谏。谏若不入，起敬起孝，说（通"悦"）则复谏。……父母怒不说，而挞之流血，不敢疾怒，起敬起孝。"怡：使动用法，使快乐。柔：使动用法，使轻柔。

【译文】父母双亲有过错时，应当劝说他们，使他们改正；但是劝说时要讲究方法，态度要耐心细致，和颜悦色，轻声细语。

白起与儿子

mín guó shí qī   yǒu yí wèi fù jiā
民国时期，有一位富家

zǐ dì   míng zi jiào zuò bái qǐ   zhè rén
子弟，名字叫做白起。这人

cóng xiǎo jiāo shēng guàn yǎng   jiāo le yì bāng hú
从小娇生惯养，交了一帮狐

péng gǒu yǒu   chéng wéi dāng dì yí dà
朋狗友，成为当地一大

gōng hài   qí fù duì qí yǎo yá
公害。其父对其咬牙

qiè chǐ   rán ér yě wú kě nài hé
切齿，然而也无可奈何。

后来，白起成家娶妻。他的妻子天生聪颖贤惠。有一次她劝导丈夫不要行恶，不料，白起却对她拳脚相加。自此妻子便不敢再提及此事。

白起的儿子名叫白景，生得十分可爱。白景慢慢长大，也懂事了，他意识到了父亲的不轨。由于受到母亲的教导，白景聪明善良，他深以父亲的行为为耻。

这天吃晚饭时，父亲满面笑容，心情甚佳。

白景见这是
个好时机，
就语带稚气地对父亲说：
"爸爸，我以后要做爸爸
这样的人，真威风，爸爸你说好
吗？"这话一出，让白起大吃一惊，想到
这样一个可爱的儿子要做和自己一样的
浪荡子弟，这实在可怕！从此，白起便改过自
新，一家人过起了幸福的生活。

jiàn bú rù   yuè fù jiàn
谏不入，悦复谏，

háo qì suí   tà wú yuàn
号泣随，挞无怨。

29

【注释】挞：用鞭子、棍子等打人。怨：抱怨。

【译文】如果父母对你的劝说听不进去，那就要等他们高兴时再去劝；就算是哭着苦苦地哀求，甚至挨打也不要怨恨。

刘博的转变

yǐ qián yǒu yí gè rén jiào liú bó hào dǔ chéng xìng qī zi
以前，有一个人叫刘博，好赌成性。妻子
liáng shì yù yǒu liǎng gè ér zi
梁氏，育有两个儿子。

ér zi men jiàn jiàn zhǎng dà duì fù qīn de yán xíng yě kàn bú
儿子们渐渐长大，对父亲的言行也看不
guàn dàn tā men duì fù qīn de quàn zǔ háo wú zuò yòng
惯，但他们对父亲的劝阻毫无作用。

yǒu yí cì liú bó xiǎng bǎ jiā zhōng wéi yī de
有一次，刘博想把家中唯一的
cái chǎn yì tóu dà mǔ zhū mài le chōng
财产——一头大母猪卖了充
dāng dǔ zī qī zi kǔ kǒu pó xīn quàn tā
当赌资。妻子苦口婆心劝他
bú yào zhè yàng liú bó què bù tīng zhí yì
不要这样，刘博却不听，执意
yào mài diào zài páng de liǎng gè ér zi shí
要卖掉。在旁的两个儿子实

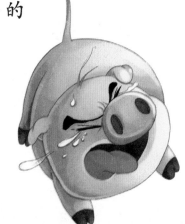

在看不下去，就跪倒在地，苦苦哀求。

谁料，刘博却是铁石心肠，最后还是把猪拽出了家门。一夜间，老母猪换来的钱输了个精光。

后来，政府严厉抓赌。刘博被列为劳改的对象，直到这时刘博才有所醒悟。在狱期间，两个儿子常来探狱，刘博在痛苦的监狱生活中感受到了浓浓亲情的暖意，从此决心改掉恶习。

有时，两个儿子为了营生，长久外出，不能常去探狱。他们便写信给狱中的父亲，字里行间透露着对父亲的真情。

最后，刘博被提前释放。出狱后，他谨记儿子们的劝说，改掉了好赌的恶习。

亲有疾，药先尝，
qīn yǒu jí yào xiān cháng

昼夜侍，不离床。
zhòu yè shì bù lí chuáng

【注释】亲有疾，药先尝：《礼记·典礼》："君有疾饮药，臣先尝之。亲有疾饮药，子先尝之。医不三世，不服其药。"
昼夜：日夜不停。

【译文】父母有病，吃的药要自己先尝冷热苦甜。父母如果病倒在床，要侍候在旁，日夜不离左右。

贤能仁孝的刘恒

公元前196年，刘恒才8岁，就受封为王，
gōng yuán qián nián liú héng cái suì jiù shòu fēng wéi wáng

封地为代。按汉制，皇子一
fēng dì wéi dài àn hàn zhì huáng zǐ yī

旦受封，就必须亲赴封地
dàn shòu fēng jiù bì xū qīn fù fēng dì

主持政务。刘恒只好择
zhǔ chí zhèng wù liú héng zhǐ hǎo zé

日登程赴任，其母薄氏搂
rì dēng chéng fù rèn qí mǔ bó shì lǒu

着儿子相泣而别。
zhe ér zi xiāng qì ér bié

公元前195年，刘邦去
gōng yuán qián nián liú bāng qù

世，吕氏当权。不过，吕氏知道薄氏并不得宠，破例允许她到代地与儿子团聚。

刘恒对母亲感情甚笃，力行孝道。忽然有一天，薄氏患病，而且病情严重，茶饭不进。刘恒可急坏了。他派人找来最好的医生，又购买了名贵药材，给母亲治病。

薄氏一病三年，卧床不起。刘恒也整整精心侍奉了三载，并在此期间寝食难安。

三年后，薄
氏终于病愈，但刘恒自己
却由于日夜操劳，病倒了。后
来，刘恒很快康复，母子又过上了平
静而幸福的生活。不久后，京城里汉惠帝刘
盈病死，继而吕后猝死，大臣周勃等派人迎接
刘恒登基为帝，理由是刘恒贤能仁孝，名扬四
海。刘恒登基后，第一件事便是派人接母亲
薄氏回京，尊为皇太后。

sāng sān nián cháng bēi yè
丧三年，常悲咽，

jū chù biàn jiǔ ròu jué
居处辨，酒肉绝。

34

【注释】丧三年：《礼记·曾子问》："曾子问曰：'三年之丧吊乎？'子曰：'三年之丧练，不群立，不旅行，君子礼以饰情。三年之丧而吊哭，不亦虚乎？'"居处辨：指夫妻不同居。

【译文】父母双亲去世后，应该守丧三年，要时时思忆父母，并因他们的仙逝而常伤悲哭泣。在这三年中，夫妻不能同居，禁食酒肉。

卖身葬父

yǒu gè dà xiào zǐ dǒng yǒng dōng hàn qiān
有个大孝子董永，东汉千
chéng jīn shān dōng gāo qīng yí dài rén tā
乘（今山东高青一带）人。他
yòu shí sàng mǔ suí fù bì zhàn luàn liú luò
幼时丧母，随父避战乱，流落
rǔ nán dǒng yǒng méi yǒu xiǎng shòu guò
汝南。董永没有享受过
mǔ ài shì fù rú mǔ zhī xiǎo xiào
母爱，视父如母，知晓孝
shùn fù qīn
顺父亲。

chūn qù qiū lái dǒng yǒng zhǎng dà
春去秋来，董永长大

成人。

他体谅父亲一生尝尽苦难，便不让父亲干重活，自己忙里忙外。

但老人也有自己的心思，他老想着给儿子娶个媳妇，盼望着早日抱上孙子。

谁知人有旦夕祸福，正当老人为儿子张罗婚事的时候，却突然病倒了。董永心急如焚，到处寻医问药，可父亲的病不仅不见好转，反而愈重。

父亲拉着董永的手，气喘吁吁地说："儿呀，家里的积蓄是为你娶亲的，我一个老朽，随他去吧，不要再费银子了！"

dǒng yǒng tīng le， lèi liú mǎn miàn de shuō：
董永听了，泪流满面地说：

bù， wǒ bú yào qǔ qīn yě yào diē die。
“不，我不要娶亲也要爹爹。”

hòu lái， fù qīn de jí bìng bú jiàn hǎo zhuǎn， zuì hòu dài zhe mǎn xīn de yí hàn kè rán cháng shì。 dàn jiān nán de shì hái zài hòu miàn： yóu yú cháng qī zhì bìng huā fèi hěn dà， jiā zhōng yǐ yì pín rú xǐ， dǒng yǒng lián ān zàng fù qīn de qián yě méi yǒu le。 wú lù kě zǒu， tā jué dìng mài shēn zàng fù。
后来，父亲的疾病不见好转，最后带着满心的遗憾溘然长逝。但艰难的事还在后面：由于长期治病花费很大，家中已一贫如洗，董永连安葬父亲的钱也没有了。无路可走，他决定卖身葬父。

tā zì jǐ xiě le yì zhāng mài shēn qì， lái dào jí shì shang， xún zhǎo mǎi zhǔ。
他自己写了一张卖身契，来到集市上，寻找买主。

zuì hòu yí gè fù wēng jiàn tā chéng shí kě kào， jiù jué dìng yòng yí wàn wén qián mǎi
最后一个富翁见他诚实可靠，就决定用一万文钱买

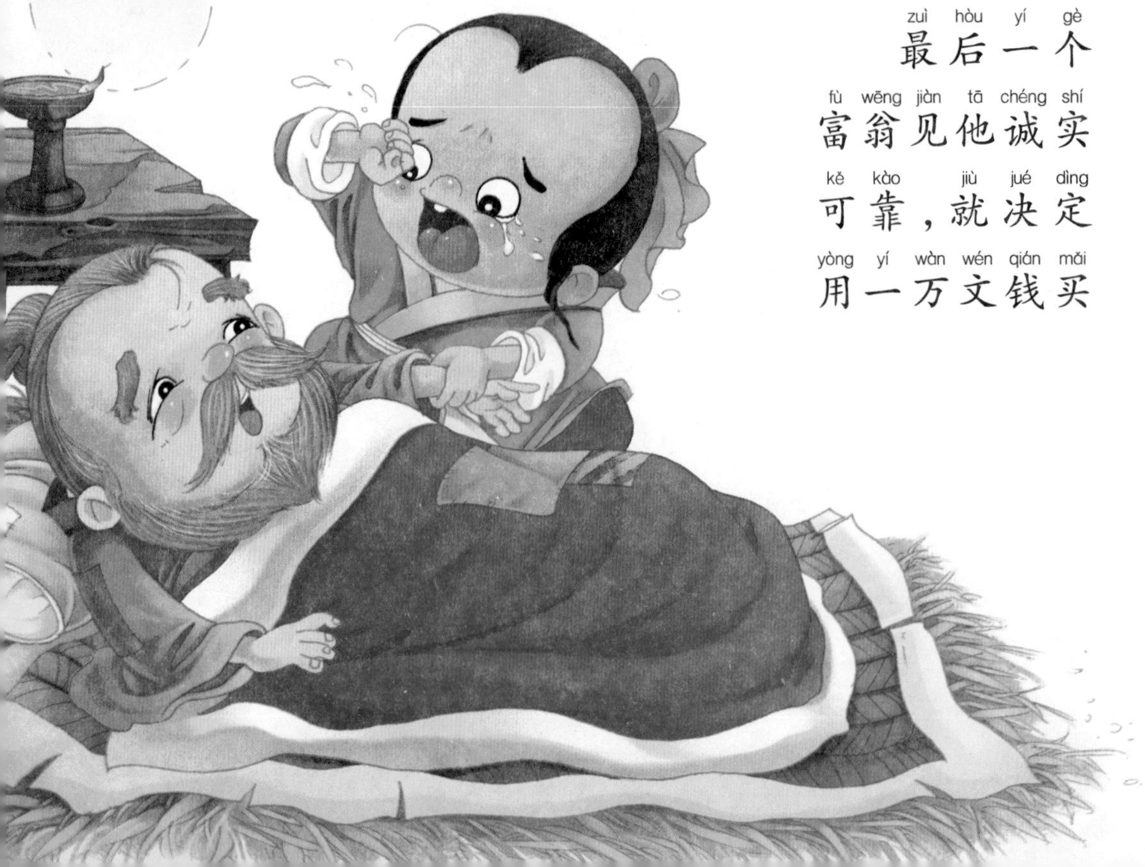

xià tā bìng yuē dìng dǒng
下他，并约定董

yǒng kě wèi fù shǒu sāng sān nián
永可为父守丧三年，

rán hòu qù fù wēng jiā zuò nú pú
然后去富翁家作奴仆。

dǒng yǒng dé dào le mài shēn de qián rèn rèn
董永得到了卖身的钱，认认

zhēn zhēn de wèi fù qīn bàn le sāng lǐ rán hòu zài
真真地为父亲办了丧礼，然后在

fù qīn mù páng dā le yí gè cǎo péng xīn cún qián chéng
父亲墓旁搭了一个草棚，心存虔诚，

wèi fù shǒu xiào sān nián xiào mǎn dǒng yǒng lǚ xíng mài shēn qì
为父守孝。三年孝满，董永履行卖身契。

dǒng yǒng mài shēn zàng fù de měi dé gǎn dòng le měi lì shàn liáng de
董永卖身葬父的美德感动了美丽善良的

qī xiān nǚ zhè biàn shì hòu lái tiān xiān pèi gù shi de yóu lái
七仙女。这便是后来《天仙配》故事的由来。

38

sāng jìn lǐ ， jì jìn chéng
丧尽礼，祭尽诚，

shì sǐ zhě ， rú shì shēng
事死者，如事生。

【注释】丧尽礼，祭尽诚：《论语·为政》："生，事之以礼；死，葬之以礼，祭之以礼。"事：为……服务。

【译文】办理父母的丧事，应该注重礼节，祭祀先人要心真意诚；对待故去的双亲，要如同他们活着的时候一样。

闻雷泣墓

xī jìn chū nián yǒu yí wèi dà xiào zǐ wáng póu tā yǐ wén léi
西晋初年，有一位大孝子王裒，他以闻雷
qì mù ér míng wén xiāng lǐ
泣墓而名闻乡里。

wáng póu cóng xiǎo jiù dǒng dé zūn zhòng hé xiào jìng fù mǔ qí fù
王裒从小就懂得尊重和孝敬父母。其父
gāo fēng liàng jié què wú gū bèi hài xiǎo wáng póu zài mǔ qīn de jīng
高风亮节，却无辜被害。小王裒在母亲的精
xīn hē hù xià hěn kuài zhǎng dà chéng rén hòu lái wáng póu yǐn jū
心呵护下，很快长大成人。后来，王裒隐居
shān lín yǐ jiāo shū wéi shēng cháo tíng zhī dào tā bó xué duō cái
山林，以教书为生。朝廷知道他博学多才，
jǐ cì yù pìn tā dān rèn guān zhí tā dōu yī yī jù jué tā zài
几次欲聘他担任官职，他都一一拒绝。他在
fù qīn mù páng gài le yì jiān cǎo fáng gōng jìng shǒu xiào
父亲墓旁盖了一间草房，恭敬守孝。

父亲死后，王裒亲自照顾母亲饮食起居，陪老人说话逗乐子，以解除老人丧夫后的孤寂。

几年之后，母亲久病不愈，驾鹤西去。王裒悲伤至极，行孝子之礼，将母亲与父亲合葬。其母在世时性极胆小，畏惧打雷。每次遇到风雨，听到雷声，王裒就立即奔向母亲墓地，跪拜哭泣，并诉说：裒儿在此，母亲不要畏惧！

王裒立身处世，把孝道看得至高无上。后来，朝廷发生内讧，殃及百姓。王裒的亲属都东迁避难，只有王裒留恋父母的安息之地，无论怎么劝说都不愿离去，最后死于战乱中。

xiōng dào yǒu　　dì dào gōng

兄道友，弟道恭，

xiōng dì mù　　xiào zài zhōng

兄弟睦，孝在中。

【注释】兄道友，弟道恭：《礼记·祭礼》："一出言而不敢忘父母，是故恶言不出于口，忿言不反于身，不辱其身，不羞其亲，可谓孝矣。"睦：和睦团结。

【译文】作为兄长，应该友爱、呵护弟弟，作为弟弟要懂得尊重兄长。兄弟和睦团结，这中间含着孝道的意味，因为这可使父母省心。

元成让位

hàn dài shí yǒu yí wèi dà rú　míng zi jiào wéi xián　tā yǐ ài
汉代时有一位大儒，名字叫韦贤，他以爱
xiōng zhǎng zhù chēng　tā de ér zi men yě dōu jù yǒu zūn xiōng ài dì de
兄长著称，他的儿子们也都具有尊兄爱弟的
hǎo pǐn zhì
好品质。

wéi xián bó xué duō néng　bèi fēng wéi fú yáng hóu　tā yǒu sì
韦贤博学多能，被封为扶阳侯。他有四
gè ér zi　zhǎng zǐ jiào wàn shān　cì zǐ jiào hóng　sān ér zi jiào
个儿子，长子叫万山，次子叫宏，三儿子叫
shùn　xiǎo ér zi jiào yuán chéng　yuán chéng rèn dà hé dū wèi de guān zhí
舜，小儿子叫元成。元成任大河都尉的官职。
wéi hóng dān rèn tài cháng chéng　zhǔ guǎn zōng míng jì sì　bù jǐn shì wù
韦宏担任太常丞，主管宗名祭祀，不仅事务

重，而且容易获罪。

韦贤打算让次子韦宏作自己的继承人。

但韦宏天性以谦让为德，不肯离开太常丞的职位。待到韦贤病重，韦宏获罪被捕入狱。家人假借韦贤的名义，上书朝廷，说让元成继承职位。

后来，韦元成知道原委，不愿接受，于是，他便装疯。父亲的丧事完毕，按说元成应继承父亲的爵位，但是他以病为由，拒绝接受。朝廷百官都怀疑元成的所作所为是有意将爵位让给哥哥。这时，有人便上书朝廷，进行弹劾。

事隔不久，皇帝下达诏书，不准弹劾元成，并且亲自召见他。元成无可奈何，只得遵从君命，袭承了父亲的爵位。

cái wù qīng yuàn hé shēng
财物轻，怨何生？

yán yǔ rěn fèn zì mǐn
言语忍，忿自泯。

【注释】怨：结怨。泯：尽，消失。

【译文】为人处世，不贪婪图财，就不会立仇结怨。言语相互忍让，嫉恨就会自然而然地消除掉。

重义轻财

bǔ shì shì xī hàn shí
卜式是西汉时

qī zhù míng de xián shì tā
期著名的贤士，他

duì zì jǐ de dì di hěn hǎo
对自己的弟弟很好，

zhào gù de hěn zhōu dào
照顾得很周到。

fù mǔ qù shì hòu xiōng dì
父母去世后，兄弟

liǎ fēn jiā bǔ shì bǎ jiā zhōng de
俩分家，卜式把家中的

cái chǎn dōu ràng gěi le dì di zì
财产都让给了弟弟，自

jǐ zhǐ yào le yì bǎi duō tóu yáng
己只要了一百多头羊。

shí jǐ nián guò qù le bǔ shì de yáng qún
十几年过去了，卜式的羊群

繁殖到上千头，他买了房屋，置办了土地。而这时弟弟因经营不善而破产，卜式于是把自己的财产分了一半给弟弟。

卜式不仅不贪图财物，而且为了照顾弟弟，还把自己的财产让给弟弟，这一行为感动了当时的人，大家都说他是个重亲情、不爱财的君子。

huò yǐn shí   huò zuò zǒu
或 饮 食 ， 或 坐 走 ，

zhǎng zhě xiān   yòu zhě hòu
长 者 先 ， 幼 者 后 。

44

【译文】对待长辈要懂得礼貌，吃饭时要让长辈先动筷。落座时，要让长辈先入座，而走路时也要让长辈在前，晚辈在后。

同文的尊长之风

sòng dài de shí hou   yǒu yì rén míng jiào   qī tóng wén   zhè rén
宋代的时候，有一人名叫戚同文。这人

chóng shàng xìn yì   wú yì wéi guān   ér qiě xué shí guǎng bó   pō yǒu
崇尚信义，无意为官，而且学识广博，颇有

míng qì
名气。

zì cóng fù qīn qù shì hòu   qī tóng wén
自从父亲去世后，戚同文

biàn tóng mǔ qīn xiāng yī wéi mìng
便同母亲相依为命。

xiǎo tóng wén nián jì bú dà   jiù dǒng dé
小同文年纪不大，就懂得

kè kǔ yòng gōng le   tā tīng shuō tóng xiāng rén
刻苦用功了。他听说同乡人

yáng què jiàn shí yuān bó   jiù měi tiān cóng yáng què
杨悫见识渊博，就每天从杨悫

de xué shè jīng guò   yáng què wèi xué shēng jiǎng
的学舍经过。杨悫为学生讲

kè shí，tā
课时，他
yě cóng páng xué dào
也从旁学到
hěn duō de zhī shi。yáng
很多的知识。杨
què zhī dào hòu，hěn shì jīng yà，biàn
悫知道后，很是惊讶，便
bǎ tā shōu jìn le zì jǐ de xué shè，bìng
把他收进了自己的学舍，并
qiě miǎn chú tā de xué fèi。bú dào yì nián de
且免除他的学费。不到一年的
gōng fu，tā xué yè jīng jìn，dé dào yáng què de shǎng shí，yáng què gèng
工夫，他学业精进，得到杨悫的赏识，杨悫更
bǎ nǚ ér jià gěi tā wéi qī
把女儿嫁给他为妻。

dāng shí tiān xià zhàn zhēng bú duàn，yīn ér qī tóng wén nèi xīn bìng
当时天下战争不断，因而戚同文内心并
bù xiǎng chū rèn guān zhí。yǒu yí cì，yáng què wèn qī tóng wén xiǎng bù
不想出任官职。有一次，杨悫问戚同文想不
xiǎng dāng guān，qī tóng wén huí dá：lǎo shī bú qù，wǒ yě bú qù。
想当官，戚同文回答："老师不去，我也不去。
wǒ suí zhǎng zhě。qí zūn zhǎng zhī fēng yóu cǐ kě jiàn。
我随长者。"其尊长之风由此可见。

zhǎng hū rén jí dài jiào
长 呼 人 , 即 代 叫 ,

rén bú zài jǐ jí dào
人 不 在 , 己 即 到 。

46

【注释】长：长辈。代叫：代为呼唤。即：立即。

【译文】如果有长辈叫人时，你也听到了，就应该帮他呼叫；如果被叫的人不在，你应该立即到长辈面前做他吩咐的事情。

杜环代人养母

dù huán shì míng cháo de yì míng guān yuán　　tā fù qīn de péng you
杜环是明朝的一名官员，他父亲的朋友
qù shì le mǔ qīn nián jì liù shí duō suì wú jiā kě guī zài lù
去世了，母亲年纪六十多岁，无家可归，在路
rén de bāng zhù xia tā zhǎo dào le dù huán de jiā
人的帮助下，他找到了杜环的家。

zhè tiān dù huán zhèng hé tā de péng you zài qián tīng jiāo tán tū
这天，杜环正和他的朋友在前厅交谈。突
rán yí gè quán shēn bèi yǔ lín shī de lǎo fù cóng wài miàn zǒu jìn lái
然，一个全身被雨淋湿的老妇从外面走进来。
dù huán kàn chū zhè shì zì jǐ fù qīn péng you de mǔ qīn gǎn máng shàng
杜环看出这是自己父亲朋友的母亲，赶忙上
qián fú lǎo rén zuò xià bìng xún wèn lǎo rén wèi hé zài zhè yàng de dà
前扶老人坐下，并询问老人为何在这样的大
yǔ tiān lái dào tā jiā lǎo fù kū qì zhe huí dá wǒ dà ér
雨天来到他家。老妇哭泣着回答："我大儿

子死了，
唯一的小儿子
也不知道身在何方，
只好来投奔你了。"杜环听了
十分难过，便把老人暂时安顿在自己的家里。
　　第二天，杜环便开始为老人寻找小儿子
的下落，可是过了很久都没有收获。老人便
一直在杜环家里居住，杜家上下待她如亲生
母亲。十年过去了，杜环找到了老人的小儿
子，但他不愿意把母亲接走，杜环便继续侍
奉老人，直到老人去世。

chēng zūn zhǎng   wù hū míng
称尊长，勿呼名，

duì zūn zhǎng   wù xiàn néng
对尊长，勿见能。

48

【注释】称：称呼。勿：不可以。

【译文】称呼长辈，要懂得礼节，不可直呼他们的名字；在长辈面前，要懂得谦虚谨慎，不要炫耀逞能。

贤明的妻子

chūn qiū shí qī   qí guó de xiàng guó yàn yīng yǒu wèi chē fū
春秋时期，齐国的相国晏婴有位车夫。

yǒu yí cì chē fū huí jiā hòu   qī zi biǎo shì jiān jué yào lí kāi
有一次车夫回家后，妻子表示坚决要离开

tā   chē fū hěn chī jīng   máng wèn wèi shén me
他。车夫很吃惊，忙问为什么。

qī zi shuō   nǐ kàn yàn yīng suī
妻子说："你看晏婴虽

rán shēn wéi xiàng guó   míng yáng tiān xià
然身为相国，名扬天下，

kě shì jīn tiān wǒ jiàn dào yàn yīng zuò
可是今天我见到晏婴坐

zài chē shang   yàng zi ān rán   tài dù
在车上，样子安然，态度

qiān gōng   zài kàn nǐ   xiàng mào táng táng
谦恭。再看你，相貌堂堂

de nán zǐ hàn   zhǐ shì yí gè chē
的男子汉，只是一个车

夫，却摆出一副不可一世的样子，这是不知

进退。相国都是那么谦恭，你又有什么值

得炫耀的呢？难道只是因为给相国赶车

吗？"听完妻子的批评，车夫很惭愧，从此

变得谦虚了。

lù yù zhǎng jí qū yī

路遇长，疾趋揖，

zhǎng wú yán tuì gōng lì

长无言，退恭立。

50

【注释】趋：跑，疾走。揖：古时拱手礼。

【译文】如果在路上遇见了长辈，应当迅速上前鞠躬行礼；长辈如果不开口说话，你要到旁边，恭敬地站立，以表示尊重。

胡证的仗义

táng cháo shí yǒu yí gè míng zi jiào hú zhèng de rén　jīng cháng dǎ bào
唐朝时有一个名字叫胡证的人，经常打抱
bù píng　jiù zhù nà xiē wú gū de rén　táng cháo zǎi xiàng péi dù　zǎo
不平，救助那些无辜的人。唐朝宰相裴度，早
nián chū shēn pín hán　shēng huó qīng kǔ　yǒu yí cì　tā zài jiǔ diàn yǐn
年出身贫寒，生活清苦。有一次，他在酒店饮
jiǔ xiāo chóu　bú liào　què bèi yì bāng è shào chán zhù　shòu jìn wǔ rǔ
酒消愁，不料，却被一帮恶少缠住，受尽侮辱。
zhè shí hú zhèng qià hǎo jīng guò　biàn chuǎng le jìn lái　zuò zài le nà bāng
这时胡证恰好经过，便闯了进来，坐在了那帮
è shào de shàng wèi　duān qǐ jiǔ bēi　lián hē sān bēi　zài zuò de kè rén
恶少的上位，端起酒杯，连喝三杯，在座的客人
wú bù dà jīng shī sè
无不大惊失色。

hú zhèng jiāng fàng tiě dēng de jià zi qǔ le xià lái　rú tóng zhāi
胡证将放铁灯的架子取了下来，如同摘
shù yè yì bān bǎ tā men niē hé zài le yì qǐ　héng fàng zài le
树叶一般把它们捏合在了一起，横放在了

自己的腿上，然后对所有的客人说道："今儿个，我出一个酒令，如果谁违反了就要按规矩喝干，如果谁敢不喝，我就用这东西敲碎他的脑袋！"众人听罢，都吓得脸色大变，却又不敢反抗。只见胡证端起酒罐，一口气喝了很多酒，无人能及他的海量。

于是，按规矩胡证准备用铁灯架子击打违约之人。那帮恶少见势不妙，便一个个跪倒在地，乞求胡证放他们离开。胡证乘机把他们轰出了酒店，替裴度解了围，这让裴度十分感动。众人弄清事情的原委后，也都称赞胡证的仗义之举。

qí xià mǎ chéng xià chē

骑下马，乘下车，

guò yóu dài bǎi bù yú

过犹待，百步余。

【注释】骑：骑着马。乘：乘着车。

【译文】遇到长辈时，骑着马就要下马，坐着车就要下车；长辈走过去的时候，要在原地目送长辈走出百步后才可以离开。

伯禽登堂则跪

xī zhōu chū nián，zhōu gōng yǒu gè ér zi，míng jiào bó qín。bó
西周初年，周公有个儿子，名叫伯禽。伯
qín gēn zhōu gōng de dì di kāng shū qù jiàn zì jǐ de fù qīn，dàn bù
禽跟周公的弟弟康叔去见自己的父亲，但不
zhī dào wèi shén me，zhōu gōng èr huà bù shuō，shàng qián jiù bǎ bó qín
知道为什么，周公二话不说，上前就把伯禽
tòng dǎ le yí dùn。yì lián sān cì dōu shì zhè yàng。
痛打了一顿。一连三次都是这样。

kāng shū xià huài le，hé bó qín shāng liang："nǐ fù qīn jiàn dào
康叔吓坏了，和伯禽商量："你父亲见到
nǐ jiù zòu，wèi shén me huì zhè yàng ne？wǒ men gǎn jǐn zhǎo ge míng
你就揍，为什么会这样呢？我们赶紧找个明
bai rén wèn wen ba。zhè yàng xià qù kě bú shì bàn fǎ。"
白人问问吧。这样下去可不是办法。"

yú shì，bó qín zhǎo dào le dāng shí fēi cháng yǒu míng de xián shì
于是，伯禽找到了当时非常有名的贤士
shāng zǐ，bǎ qíng kuàng gào su le tā。
商子，把情况告诉了他。

商子没有正面回答，而是对伯禽说："南山有一种树，叫做乔木；北山有一种树，叫做梓木。你到那里看一看这两种树木吧。"

伯禽听了商子的话，先跑到南山，只见乔木生得很高，树都是仰着的；然后又跑到北山，看见梓木长得很低，都是俯着的。伯禽回来后，连忙把所看到的情况告诉了商子。商子说："乔木仰起，就是做父亲的道理；梓木俯着，就是做儿子的道理。"

第二天，伯禽去见周公。一进门，他就很快地走上前去，在父亲面前跪了下来。周公亲切地抚摸着伯禽的头，称赞他受到了君子的教导。

54

zhǎng zhě lì   yòu wù zuò
长 者 立 ， 幼 勿 坐 ，

zhǎng zhě zuò   mìng nǎi zuò
长 者 坐 ， 命 乃 坐 。

【注释】长者立：《礼记·典礼》："见父之执（朋友），不谓之进不敢进，不谓之退不敢退，不问不敢对，此孝子之行也。"命：命令。

【译文】如果长辈站着，作为晚辈，就不应该坐下来；等到长辈坐下来，招呼你坐下，你方可坐下来。

张良与《太公兵法》

zhāng liáng shì zhàn guó shí qī hán guó rén   yì tiān   tā zhèng màn
张良是战国时期韩国人。一天，他正漫

bù zài yí zuò qiáo shang shí   qià féng yí gè lǎo rén jiāng yì zhī xié zi
步在一座桥上时，恰逢一个老人将一只鞋子

zhuì luò dào qiáo xià   lǎo rén xiàng zhāng
坠落到桥下。老人向张

liáng shuō   nián qīng rén   bāng wǒ bǎ
良说："年轻人，帮我把

xié jiǎn qǐ lái   zhāng liáng wèi lǎo rén
鞋捡起来。"张良为老人

shí qǐ le xié zi   lǎo rén yòu shuō
拾起了鞋子。老人又说：

tì wǒ chuān shàng   zhāng liáng xiǎng hǎo
"替我穿上！"张良想好

事做到底，索性跪在了地上，给老人穿鞋子，极尽恭敬之礼。老人伸脚让张良把鞋子穿好，神秘地一笑，便走了，一个谢字也没说。

不料，老人走了一里开外，又折了回来，对张良说："年轻人，我看你是值得教诲的，五天之后的早晨，你还到这里来见我。"张良虽然觉得奇怪，但也答应了。五天之后的早晨，张良到时老人早已等在那里了。老人见了张良，很不高

兴，说："五天后的早上你再来吧！"说完扭头就走。五天后，鸡刚一啼鸣，张良就起身去了，不料老人又先到了。

老人怒道："又迟到了，五天以后的早晨来早点。"又是五天后，张良半夜便去桥边等候，没过多久，老人就来了。这次老人面露微笑，从怀中拿出了一卷竹简，交给了张良，说："读通了这本书，你就可以做帝王的老师了。"

张良回家后，发现此书为《太公兵法》，于是刻苦攻读，后来帮助刘邦打了很多胜仗。

zūn zhǎng qián　　shēng yào　dī
尊长前，声要低，

dī　bù　wén　　què fēi　yí
低不闻，却非宜。

【注释】声：指说话声。闻：听到。

【译文】和长辈交谈的时候，说话的声音要温和低缓；然而如果低得让人听不到，也是不合适的。

避席求学

chén yī shì suí mò táng chū luò zhōu rén　 yí cì　 tā hé jǐ ge
陈祎是隋末唐初洛州人。一次，他和几个

gē ge yì qǐ tīng fù qīn jiǎng shòu xiào jīng　 dì yī zhāng fù qīn gěi
哥哥一起听父亲讲授《孝经》第一章，父亲给

tā men jiǎng le zhè yàng yí gè gù shi
他们讲了这样一个故事。

zēng zǐ shì kǒng zǐ de dì zǐ
曾子是孔子的弟子。

yì tiān　 tā zuò zài kǒng zǐ shēn biān
一天，他坐在孔子身边，

kǒng zǐ wèn tā　　 yǐ qián de shèng xián
孔子问他："以前的圣贤

dōu yòng zhì gāo wú shàng de dé xíng hé
都用至高无上的德行和

jīng miào de lǐ lùn　 lái jiào
精妙的理论，来教

dǎo tiān xià zhī rén　 rén men
导天下之人。人们

从此就能和睦相处，君臣之间不会产生不满。你知道它们是什么吗？"

曾子听了，知道老师是要指点他最深刻的道理，于是从席子上站起来，走到席子外面，恭敬地回答："我还不够聪明，哪里能知道这些深奥的道理呢？请老师把这些道理传授于我吧。"

说完这个故事，陈祎的父亲继续说道："因为当时还没有椅子，人们都坐在席子上。当曾子听到老师要向自己传授知识时，他站起来走到席子外向老师请教，是对老师的尊重。这个道理你们明白了吗？"

陈祎的几个哥哥都坐着大声回答:"明白了。"只有陈祎站起来,毕恭毕敬地回答:"明白了。"

知书识礼的陈祎长大后当了和尚,法号为玄奘,即唐僧。后来,他远赴印度,把佛教经典带回中国,还写成了著作《大唐西域记》,为中印文化交流作出了卓越的贡献。

jìn bì qū tuì bì chí
进 必 趋 , 退 必 迟 ;

wèn qǐ duì shì wù yí
问 起 对 , 视 勿 移 。

【注释】趋：快步向前。视：视线。

【译文】要见长辈时，应当快步向前，而告退的时候应当放慢步伐；长辈问你话的时候，应当起身后再回答，眼睛要望着对方，不可左顾右盼。

诚心所至

táng cháo shí yǒu wèi míng rén míng jiào
唐朝时，有位名人，名叫

péi dù tā xiān shì rèn shān nán xī dào jié
裴度。他先是任山南西道节

dù shǐ hòu yīn zhàn gōng zhèng jì dōu hěn zhuó
度使，后因战功政绩都很卓

zhù bèi zhào rù gōng zhōng chū rèn zǎi xiàng de
著，被召入宫中，出任宰相的

yào zhí zhǔ chí zhèng wù
要职，主持政务。

péi dù rù gōng zhǔ chí zhèng shì
裴度入宫主持政事

de shí hou huáng shang hái nián yòu wú
的时候，皇上还年幼无

zhī jiāo hèng rèn xìng yóu yú ér
知，骄横任性。由于儿

童天性，皇帝很少过问政事，也懒得见大臣议事。

裴度感觉这样长此以往，必出大事，他便去觐见皇上，真切地对皇上说："天下的人都知晓皇上处理朝政很是勤奋用心。可是两月以来，陛下召见大臣的次数日见减少。因此有人担心将会有更多的公事被耽搁了。我希望皇上能趁着天气凉爽多上几次朝。臣殷切盼望陛下能够采纳。"

裴度言语真诚，说完后又恭敬地退出宫去，留时间让皇上思考。皇上见裴度如此心诚有礼，自己心中很是惭愧，便决定改过前非。

shì zhū fù   rú shì fù
事 诸 父 ，如 事 父 ；

shì zhū xiōng   rú shì xiōng
事 诸 兄 ，如 事 兄 。

【注释】事诸父：《孟子·梁惠王上》："老吾老以及人之老，幼吾幼以及人之幼，天下可运于掌。"诸兄：泛指兄长辈的人。

【译文】对待自己的叔叔伯伯，应当像对待自己的父亲一样。对待兄长辈的亲朋好友，要像对待自己的亲兄弟一样。

勇敢的常林

dōng hàn mò nián   dǒng zhuó zhuān quán   pàn nì wú dào   tài shǒu wáng
东汉末年，董卓专权，叛逆无道。太守王
kuāng qǐ bīng tǎo fá dǒng zhuó   tā pài qiǎn jùn nèi shēng yuán àn zhōng zài tā guǎn
匡起兵讨伐董卓，他派遣郡内生员暗中在他管
xiá de xiàn zhōng jiān shì bǎi guān hé bǎi xìng de xíng dòng   yí dàn fā xiàn yǒu
辖的县中监视百官和百姓的行动，一旦发现有
zuì de rén biàn lì jí dài bǔ rù yù   bìng yòng kù xíng bī pò tā men jiāo
罪的人便立即逮捕入狱，并用酷刑逼迫他们交
shàng liáng shí   qián cái
上粮食、钱财。

cháng lín de shū fù àn zāo shēng yuán de jiǎn jǔ   wáng kuāng tīng shuō
常林的叔父暗遭生员的检举，王匡听说
hòu hěn shì nǎo huǒ   xià lìng lì jí dài bǔ zhì zuì   cháng lín shū fù
后很是恼火，下令立即逮捕治罪。常林叔父
de quán jiā rén dōu shí fēn kǒng huāng
的全家人都十分恐慌。

然而，常林却
非常勇敢。他亲自去
拜见王匡的同乡胡毋彪，
说："王太守能文能武，一身的高超
才能，来治理咱们这个郡是再好不过的了。
眼下，皇上年纪尚幼，奸臣雄将割据一方。如
果王太守是真心想灭奸除恶，辅助汉室复兴，
那么才有人肯拥护他。这样，他才能平息战
乱，统一江山。"接着常林又叙说了自己想救
叔父的意思。胡毋彪听了常林的一番话，心
中特别感动。于是胡毋彪便给王匡写了一封
长信，批评了他的一些错误做法。王匡读罢
信后，很受启发，便释放了常林的叔叔。

64

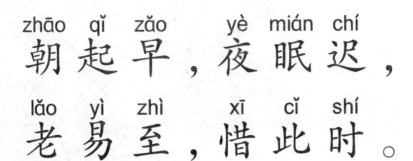

zhāo qǐ zǎo yè mián chí
朝起早，夜眠迟，
lǎo yì zhì xī cǐ shí
老易至，惜此时。

【注释】朝：早上。迟：晚。至：到。

【译文】早上要早起，晚上要晚睡；时间过得很快，转眼就老了，要懂得珍惜年轻时的好时光。

匡衡的好学精神

kuāng héng zì zhì guī shì xī hàn shí qī yǒu míng de jīng xué
匡衡，字稚圭，是西汉时期有名的经学
jiā kuāng héng xiǎo de shí hou jiù ài hào dú shū yè yǐ jì rì
家。匡衡小的时候就爱好读书，夜以继日，
xué ér bú juàn xiǎo kuāng héng jiā jìng pín hán mǎi bù qǐ là zhú
学而不倦。小匡衡家境贫寒，买不起蜡烛，
dàn shì tā bìng méi yǒu yīn cǐ qì něi ér fàng qì yè jiān xué xí de
但是他并没有因此气馁而放弃夜间学习的
jī huì
机会。

tā dǎ chuān le zì jiā hé lín jiā zhī jiān de qiáng bì bǎ lín
他打穿了自家和邻家之间的墙壁，把邻
jiā de zhú guāng yǐn rù le zì jiā bù tōu qí zhú què tōu qí guāng
家的烛光引入了自家，不偷其烛，却偷其光。
yú shì xiǎo kuāng héng biàn néng jiè zhe yǐn lái de zhú guāng yè dú le
于是小匡衡便能借着引来的烛光夜读了。
xiǎo kuāng héng de tóng xiāng zhōng yǒu gè dà hù rén jiā míng zi jiào
小匡衡的同乡中有个大户人家，名字叫

<ruby>文<rt>wén</rt></ruby><ruby>不<rt>bù</rt></ruby><ruby>识<rt>shí</rt></ruby>。<ruby>文<rt>wén</rt></ruby><ruby>不<rt>bù</rt></ruby>

<ruby>识<rt>shí</rt></ruby><ruby>家<rt>jiā</rt></ruby><ruby>境<rt>jìng</rt></ruby><ruby>富<rt>fù</rt></ruby><ruby>足<rt>zú</rt></ruby>，<ruby>藏<rt>cáng</rt></ruby><ruby>书<rt>shū</rt></ruby>

<ruby>无<rt>wú</rt></ruby><ruby>数<rt>shù</rt></ruby>，<ruby>小<rt>xiǎo</rt></ruby><ruby>匡<rt>kuāng</rt></ruby><ruby>衡<rt>héng</rt></ruby><ruby>就<rt>jiù</rt></ruby><ruby>去<rt>qù</rt></ruby><ruby>给<rt>gěi</rt></ruby><ruby>他<rt>tā</rt></ruby><ruby>家<rt>jiā</rt></ruby><ruby>干<rt>gàn</rt></ruby><ruby>活<rt>huó</rt></ruby>，<ruby>却<rt>què</rt></ruby><ruby>不<rt>bù</rt></ruby><ruby>求<rt>qiú</rt></ruby><ruby>报<rt>bào</rt></ruby><ruby>酬<rt>chou</rt></ruby>。

<ruby>文<rt>wén</rt></ruby><ruby>不<rt>bù</rt></ruby><ruby>识<rt>shí</rt></ruby><ruby>对<rt>duì</rt></ruby><ruby>此<rt>cǐ</rt></ruby><ruby>很<rt>hěn</rt></ruby><ruby>奇<rt>qí</rt></ruby><ruby>怪<rt>guài</rt></ruby>，<ruby>问<rt>wèn</rt></ruby><ruby>匡<rt>kuāng</rt></ruby><ruby>衡<rt>héng</rt></ruby><ruby>为<rt>wèi</rt></ruby><ruby>什<rt>shén</rt></ruby><ruby>么<rt>me</rt></ruby><ruby>干<rt>gàn</rt></ruby><ruby>活<rt>huó</rt></ruby><ruby>却<rt>què</rt></ruby><ruby>不<rt>bù</rt></ruby>

<ruby>求<rt>qiú</rt></ruby><ruby>报<rt>bào</rt></ruby><ruby>酬<rt>chou</rt></ruby>。

<ruby>匡<rt>kuāng</rt></ruby><ruby>衡<rt>héng</rt></ruby><ruby>说<rt>shuō</rt></ruby>："<ruby>只<rt>zhǐ</rt></ruby><ruby>愿<rt>yuàn</rt></ruby><ruby>能<rt>néng</rt></ruby><ruby>读<rt>dú</rt></ruby><ruby>遍<rt>biàn</rt></ruby><ruby>主<rt>zhǔ</rt></ruby><ruby>人<rt>rén</rt></ruby><ruby>家<rt>jiā</rt></ruby><ruby>的<rt>de</rt></ruby><ruby>藏<rt>cáng</rt></ruby><ruby>书<rt>shū</rt></ruby>。"<ruby>主<rt>zhǔ</rt></ruby>

<ruby>人<rt>rén</rt></ruby><ruby>感<rt>gǎn</rt></ruby><ruby>叹<rt>tàn</rt></ruby><ruby>小<rt>xiǎo</rt></ruby><ruby>匡<rt>kuāng</rt></ruby><ruby>衡<rt>héng</rt></ruby><ruby>的<rt>de</rt></ruby><ruby>好<rt>hào</rt></ruby><ruby>学<rt>xué</rt></ruby><ruby>精<rt>jīng</rt></ruby><ruby>神<rt>shén</rt></ruby>，<ruby>就<rt>jiù</rt></ruby><ruby>答<rt>dā</rt></ruby><ruby>应<rt>ying</rt></ruby><ruby>了<rt>le</rt></ruby><ruby>他<rt>tā</rt></ruby><ruby>的<rt>de</rt></ruby><ruby>请<rt>qǐng</rt></ruby>

<ruby>求<rt>qiú</rt></ruby>。<ruby>匡<rt>kuāng</rt></ruby><ruby>衡<rt>héng</rt></ruby><ruby>得<rt>dé</rt></ruby><ruby>到<rt>dào</rt></ruby><ruby>允<rt>yǔn</rt></ruby><ruby>诺<rt>nuò</rt></ruby>，<ruby>一<rt>yì</rt></ruby><ruby>有<rt>yǒu</rt></ruby><ruby>闲<rt>xián</rt></ruby><ruby>暇<rt>xiá</rt></ruby><ruby>便<rt>biàn</rt></ruby><ruby>用<rt>yòng</rt></ruby><ruby>心<rt>xīn</rt></ruby><ruby>攻<rt>gōng</rt></ruby><ruby>读<rt>dú</rt></ruby>，

<ruby>后<rt>hòu</rt></ruby><ruby>来<rt>lái</rt></ruby><ruby>终<rt>zhōng</rt></ruby><ruby>于<rt>yú</rt></ruby><ruby>成<rt>chéng</rt></ruby><ruby>了<rt>le</rt></ruby><ruby>一<rt>yí</rt></ruby><ruby>个<rt>gè</rt></ruby><ruby>大<rt>dà</rt></ruby><ruby>学<rt>xué</rt></ruby><ruby>问<rt>wèn</rt></ruby><ruby>家<rt>jiā</rt></ruby>。

chén bì guàn　　jiān shù kǒu

晨必盥，兼漱口，

biàn niào huí　　zhé jìng shǒu

便溺回，辄净手。

【注释】盥：洗手洗脸。辄：就。

【译文】早晨起来一定要洗手洗脸，并且要漱口；去厕所回来，一定要洗手。

guān bì zhèng niǔ bì jié
冠必正，纽必结，

wà yǔ lǚ jù jǐn qiè
袜与履，俱紧切。

【注释】冠：帽子。纽：纽扣。

【译文】帽子应当戴正，纽扣应当扣好；袜子和鞋子也要穿得服帖。

看人取样

míng cháo jiā jìng nián jiān běi jīng chéng li yǒu yí gè cái feng tā
明朝嘉靖年间，北京城里有一个裁缝，他

shàn yú gēn jù chuān yī rén de xìng gé nián líng xiàng mào yǐ jí shēn
善于根据穿衣人的性格、年龄、相貌，以及身

cái lái qǔ cháng dìng yàng
材，来取长定样。

yí cì yǒu yí wèi yù lì dà fū yào
一次，有一位御吏大夫要

gǎn zhì yí jiàn jìn gōng chuān de cháo
赶制一件进宫穿的朝

fú yú shì yù lì biàn bǎ zhè
服。于是御吏便把这

wèi cái feng qǐng dào le jiā zhōng
位裁缝请到了家中。

zhè wèi cái feng shǒu jiǎo má lì
这位裁缝手脚麻利

de wèi tā liáng hǎo le shēn yāo chǐ
地为他量好了身腰尺

寸，接着很有礼貌地问御吏："你出任官职有多少年了？"

御吏很不解，反问道："你把衣服做好就行了，还问这个干什么？"

裁缝耐心地解释说："大人如果年轻而任高职，一定性格高傲，走起路来就会挺胸凸肚，裁制衣服的时候就要前长而后短；如果做官已近半百，意气就会变得比较平和，衣服就要做得前后一般长；如果做官太久，已有隐退之意，那么大都会意气消沉，走起路来难免会弯腰曲背，衣服应当做得前短而后长。所以我如果不弄明白这些问题，怎么能够做出让顾客称心合体的衣服呢？"

zhì guān fú ，yǒu dìng wèi，
置冠服，有定位，

wù luàn dùn ，zhì wū huì
勿乱顿，致污秽。

【译文】放置帽子和衣服，应当有固定的地方；不可到处乱丢乱放，以免弄乱弄脏。

井井有条

yǒu yí wèi lǎo shāng rén zài yí gè xiǎo zhèn shang jīng shāng shí jǐ nián
有一位老商人在一个小镇上经商十几年，

dào zuì hòu què pò chǎn le
到最后却破产了。

dāng yí wèi zhài zhǔ lái tǎo zhài shí jiàn nà lǎo shāng rén zhèng shuāng
当一位债主来讨债时，见那老商人正双

méi jǐn zhòu sī kǎo zì jǐ shī bài de yuán yīn
眉紧皱，思考自己失败的原因。

tā wèn wǒ wèi shén me huì shī bài ne nán dào wǒ duì gù
他问："我为什么会失败呢？难道我对顾

kè bú rè qíng ma
客不热情吗？"

nà wèi zhài zhǔ duì tā shuō nǐ wán quán kě yǐ zài cóng tóu zuò
那位债主对他说："你完全可以再从头做

qǐ nǐ bú shì hái yǒu xiē cái chǎn ma
起，你不是还有些财产吗？"

lǎo shāng rén fǎn wèn dào yào cóng tóu zuò qǐ
老商人反问道："要从头做起？"

"是啊！你应该把你目前的经营状况列在一张资产负债表上，好好儿清算，然后再从头做起。"老商人说，这些事情他早在15年前就想过了，却没有下决心，因而一直没有做。

其实，无论大生意还是小生意，物资都应管理得井井有条，这是一件很重要的事情。那些把什么东西都搞得乱七八糟的人，迟早是会失败的。

yī guì jié　　bú guì huá
衣贵洁，不贵华；

shàng xún fèn　　xià chèn jiā
上循分，下称家。

【注释】华：华丽。上循分，下称家：当官的穿衣服要遵循自己的名分；老百姓穿衣服要与家庭收入、地位相称。《礼记·少仪》："衣服在躬（身体）而不知其名为罔（无知）。"分，名分，职分。称，适合，相当。

【译文】穿衣服，可贵之处在整洁，不在于有多么华丽；有官职的人穿着应当符合自己的身份，平常百姓的穿着则要与家境相称。

正气压邪气

táng cháo de shí hou　　sān pǐn yǐ shàng de guān yuán cái néng chuān zǐ
唐朝的时候，三品以上的官员才能穿紫

sè de yī fu　　wǔ pǐn yǐ shàng de guān yuán cái
色的衣服，五品以上的官员才

kě chuān fēi hóng sè de yī fu
可穿绯红色的衣服。

wǔ zé tiān dāng zhèng shí　　nán hǎi jìn
武则天当政时，南海进

gòng le yí jiàn jiāo cuì qiú　　tā yòng cuì
贡了一件焦翠裘。它用翠

niǎo de máo jiā gōng zhì zuò ér chéng　　hěn
鸟的毛加工制作而成，很

是华贵。武则天便将它赏赐给最爱的宠臣张
昌宗。一天，张昌宗披着焦翠裘，陪着武则
天玩博戏，宰相狄仁杰要进宫奏事。

　　武则天为使宠臣与相臣联络感情，就让
二人共同玩博戏。狄仁杰说："赌博不能没
有彩头。臣以连胜三局为条件，赌昌宗身上
的毛裘。"

　　武则天说："那你的赌注呢？"

　　狄仁杰指了指自己穿的粗绸紫袍，说："就
以此为赌注吧！"

武则天笑笑说："你不知道这毛裘值千金，你那袍子能值几个钱呢？"

狄仁杰说："臣的这袍子可是大臣的官服，昌宗的毛裘只是非正式的衣服，和臣的官袍对赌，不合算吗？"张昌宗本就惧怕狄仁杰，又听了这一番话，心虚胆寒，三局连输。

狄仁杰马上脱了他的毛裘，向武则天谢了恩，一出宫门，就扔给了家奴穿着回府。狄仁杰赢在正气压邪气，赢在紫袍所代表的身份和地位。

duì yǐn shí　　wù jiǎn zé
对 饮 食 ， 勿 拣 择 ，
shí shì kě　　wù guò zé
食 适 可 ， 勿 过 则 。

【注释】拣择：挑食。过则：过量。则，法则。

【译文】吃饭的时候，不要挑食，否则就会营养不良；吃东西还要适可而止，不要暴饮暴食，不然对身体不好。

长寿的经验

　　yǒu yí wèi zhī míng de xué zhě fú ěr jiào shòu huó le suì
有 一 位 知 名 的 学 者 弗 尔 教 授 ， 活 了 85 岁 ，
wú bìng ér sǐ　　shēng qián tā zài zǒng jié zì jǐ cháng shòu de jīng yàn
无 病 而 死 。 生 前 他 在 总 结 自 己 长 寿 的 经 验
shí shuō le zhè me jǐ tiáo
时 ， 说 了 这 么 几 条 ：

　　nǔ lì gōng zuò dàn rèn wù bú yào guò yú fán zhòng yào bì
"努 力 工 作 ， 但 任 务 不 要 过 于 繁 重 ； 要 避
miǎn yōu lù hé nǎo nù jǐn kě néng yǐ nǐ de xìng qíng xiāng fú de fāng
免 忧 虑 和 恼 怒 ， 尽 可 能 以 你 的 性 情 相 符 的 方
shì shēng huó chōng fèn lì yòng shàng tiān fù yú nǐ de cái néng jìn liàng
式 生 活 ， 充 分 利 用 上 天 赋 予 你 的 才 能 。 尽 量
bú yào shēng huó zài tài dà de yā lì zhī xià yào hé lǐ xuǎn zé yì
不 要 生 活 在 太 大 的 压 力 之 下 。 要 合 理 选 择 一
rì sān cān yào jìn shí shuǐ guǒ shū cài gǔ lèi jī dàn hé niú
日 三 餐 ， 要 进 食 水 果 、 蔬 菜 、 谷 类 、 鸡 蛋 和 牛
nǎi cóng yì kāi shǐ jiù yào chéng wéi yán gé de jiè yān hé jiè jiǔ
奶 。 从 一 开 始 就 要 成 为 严 格 的 戒 烟 和 戒 酒

者，并且要终生保持这样的好习惯。如果你做到了上述这些，十之八九你就会长寿。"

弗尔不愧为教授，他关于健康长寿的说法，不仅涉及饮食，还涉及个人的卫生习惯，工作方式以及休息等，面面俱到，我们应当谨记，并且身体力行才好。

nián fāng shào wù yǐn jiǔ

年方少，勿饮酒，

yǐn jiǔ zuì zuì wéi chǒu

饮酒醉，最为丑。

【注释】方：正在。最为丑：最难堪的事。

【译文】年纪还小的时候，不应该喝酒；喝酒如果醉倒了，是最难堪的事。

酒能成事，也能败事

rén men de fàn liàng chā bié bú tài dà ér jiǔ liàng què bù
人们的饭量差别不太大，而酒量却不
tóng yǒu de yì dī yě hē bù liǎo yǒu de zé dà de jīng rén
同，有的一滴也喝不了，有的则大得惊人。
dōng hàn de dà rú zhèng xuán yǐ shàn yǐn jiǔ zhù chēng yuán shào
东汉的大儒郑玄以善饮酒著称。袁绍
xiǎng shì tā de jiǔ liàng chèn wèi tā fù rèn jiàn xíng shí yuē hǎo chū
想试他的酒量，趁为他赴任饯行时，约好出
xí de sān bǎi duō rén dōu xiàng tā jìng jiǔ cóng zǎo dào wǎn zhèng
席的三百多人都向他敬酒。从早到晚，郑
xuán chà bu duō hē le sān bǎi duō bēi rán ér shén tài réng wēn hé
玄差不多喝了三百多杯，然而神态仍温和
kè zhì zài chǎng zhī rén miàn miàn xiāng qù wú bù zhèn jīng chēng qí
克制，在场之人面面相觑，无不震惊，称其
hǎi liàng
"海量"。

dàn jiǔ néng chéng shì yě néng bài shì
但酒能成事，也能败事。

人一喝醉，就容易做出伤风败德的事。宋代王韶宴请宾客，叫家妓在席前奏乐。喝到夜晚，客人张缋醉了，神色诡异，还调戏王韶的家妓。

家妓向王韶哭诉，客人们都失色为张缋担惊，王韶却慢吞吞地说：

"叫你们奏乐为来宾助兴，你竟然惹客人不开心！"于是罚了家妓一大杯酒，然后照常宴饮谈笑，大家都佩服他的度量。幸而主人不计较，但是如果自己注意克制，喝酒量力而行，不要醉后出丑，不是更好吗？

bù cóng róng　　lì duān zhèng
步从容，立端正，

yī shēn yuán　　bài gōng jìng
揖深圆，拜恭敬。

78

【注释】步：走路。立：站立。

【译文】走路的时候，要从容沉静，不要慌慌张张，站立的时候要姿态端正；向人行礼作揖要深深地弯腰，跪拜要认真恭敬。

触龙进谏

chūn qiū hòu qī　　dāng shí zhào guó de tài hòu gāng gāng zhí zhèng　　jiù
春秋后期，当时赵国的太后刚刚执政，就
yù dào le qín guó de qīn fàn　　zhǐ dé xiàng qí guó qiú yuán　　dàn qí
遇到了秦国的侵犯，只得向齐国求援。但齐
guó yāo qiú bǎ zhào tài hòu de xiǎo ér zi cháng ān jūn zuò
国要求把赵太后的小儿子长安君作
wéi rén zhì rù jū qí guó　　cái kěn chū bīng qiú yuán
为人质入居齐国，才肯出兵求援。

zhào tài hòu duì cháng ān jūn téng ài yǒu
赵太后对长安君疼爱有
jiā　　bú yuàn ràng tā qù qí guó　　yú shì méi
加，不愿让他去齐国，于是没
yǒu tóng yì qí guó de tiáo jiàn　　dà chén men
有同意齐国的条件。大臣们
fēn fēn quàn shuō zhào tài hòu yào yīng yǔn　　xī
纷纷劝说赵太后要应允，希

望她以大局为重,但都遭到了赵太后的坚决
拒绝。

她还扬言:"有谁再和我提起让长安君做
人质的事,我一定会吐他一脸。"左师(官名)

触龙决定去说服赵太后,由于他脚患病,走
路不便,但为了不失礼节,他只做出快走的
样子,却慢慢地向前挪动脚步。

见到赵太后时,他首先谢罪,说:"我因有
脚病,所以不能快走,很久也没来看你了。"

后来经触龙的再三劝说,最终说服了赵
太后。

赵太后正是因
为触龙走、坐知
礼,才有心
听下去
他的劝
说的。

wù jiàn yù　　wù bǒ yǐ
勿践阈，勿跛倚，

wù jī jù　　wù yáo bì
勿箕踞，勿摇髀。

【注释】勿践阈：《论语·乡党》：“立不中门，行不履阈。”
《礼记·典礼》：“游毋倨，立毋箕。”阈，门槛。跛：偏。箕
踞：两腿叉开蹲着或坐着。髀：大腿。

【译文】不要脚踏在门槛上，也不要一条腿支撑身体斜靠
在墙上；坐着不要叉开双腿，更不要摇动腿脚。

不讲礼仪险失才

hàn gāo zǔ liú bāng chū shēn yú pǔ tōng nóng mín jiā tíng　dú shū
汉高祖刘邦出身于普通农民家庭，读书
bù duō hái hěn tǎo yàn rú shēng
不多，还很讨厌儒生。

qín mò shí yǒu yì nián　liú bāng
秦末时有一年，刘邦
dài bīng gōng dǎ chén liú　yǒu yí cì
带兵攻打陈留。有一次
dǎ wán zhàng liú bāng ràng shì wèi gěi tā
打完仗，刘邦让侍卫给他
xǐ jiǎo zì jǐ chǎng kāi zhe yī shang
洗脚，自己敞开着衣裳，
wāi zuò zài yǐ zi shang bì mù yǎng shén
歪坐在椅子上闭目养神。

恰巧，此时有一个叫郦食其的老者前来献策。

郦食其走进营帐，看到刘邦衣冠不整，坐没坐相，顿时火冒三丈，喝道："你是想帮助秦王攻打诸侯呢，还是想率领诸侯攻打秦王呢？"刘邦一听这话，也很生气："天下百姓都想推翻秦王朝的统治，我怎么会帮助秦王呢？"郦食其听了说："既然你想推翻秦朝，就不应该对老人和有学问的人这样无礼！"听了这话，刘邦很惭愧，急忙整理衣冠，诚恳道歉，好不容易才挽留住郦食其。

huǎn jiē lián　　wù yǒu shēng
缓揭帘，勿有声；

kuān zhuǎn wān　　wù chù léng
宽转弯，勿触棱。

【译文】揭帘子要手轻，不要出声音；走路的时候，转弯动作幅度不要太大，以免碰到墙壁或其他东西的棱角。

张飞穿针，粗中有细

liú bèi qǔ dé jīng zhōu hòu　　dài bīng gōng dǎ yì zhōu　　bú liào
刘备取得荆州后，带兵攻打益州，不料
zhōng tú jūn shī páng tǒng zhàn sǐ　　wú nài liú bèi zhǐ dé xiě xìn qǐng
中途军师庞统战死，无奈刘备只得写信请
zhū gě liàng rù chuān xié zhù
诸葛亮入川协助。

zhū gě liàng rù chuān　　bīng fēn liǎng lù　　yí lù yóu zì jǐ qīn zì
诸葛亮入川，兵分两路，一路由自己亲自
dài lǐng　　lìng yí lù shéi lái dài lǐng ne　　zhū gě liàng xiàn rù le chén sī
带领，另一路谁来带领呢？诸葛亮陷入了沉思。

hòu lái tā xīn shēng yí jì　　ràng zhāng fēi lái dào zì jǐ de jūn
后来他心生一计，让张飞来到自己的军
zhàng li　　jiāo gěi le zhāng fēi yì gēn xiù huā zhēn hé yì gēn sī xiàn
帐里，交给了张飞一根绣花针和一根丝线，
ràng tā chuān zhēn　　zhāng fēi hěn shì bù jiě　　zhū gě liàng ràng tā shì
让他穿针。张飞很是不解，诸葛亮让他试
shi kàn
试看。

于是张飞双眼圆瞪，一眨不眨地穿，可是穿了很长时间，总穿不进去。他心里很是着急。诸葛亮按住张飞的双手说："别急！今天穿不进，明天再穿吧，时间有的是，三天之内若能穿进去，就算你打了一场大胜仗！"

三天之后，张飞果然成功，拿去给诸葛亮看，诸葛亮手摇鹅毛扇，高兴不已。张飞方才明白，军师用心良苦啊！他是在有意培训他做一个有心人。

诸葛亮命张飞带领一万人马攻取巴郡，然后在雒邑会师。张飞一路气贯如虹，长驱直入巴郡，顺利到达雒邑与诸葛亮会师。

zhí xū qì　　rú zhí yíng
执虚器，如执盈；
rù xū shì　　rú yǒu rén
入虚室，如有人。

【注释】执虚器：《礼记·少仪》："执虚如执盈，入虚如有人。"虚：空。盈：这里指满的器具。

【译文】拿空的器具，要像拿着装满东西一样小心；走进空房子，要像主人在家一样，不要乱动主人的物品。

以行动教育人

yuán dài de shí hou　　yǒu gè rén jiào xǔ héng　　zì zhòng píng　　yòu
元代的时候，有个人叫许衡，字仲平，又
chēng hé nèi zǐ
称河内子。

yǒu yí cì xǔ héng wài chū　　lù guò hé
有一次许衡外出，路过河
yáng　　dāng shí zhèng zhí kù shǔ jì jié
阳。当时正值酷暑季节，
tiān rè de hěn　　xǔ héng yì shí kǒu kě
天热得很，许衡一时口渴
nán nài
难耐。

qià hǎo lù biān yǒu yì kē gāo dà
恰好路边有一棵高大
de lí shù　　yòu dà yòu xiān liàng de lí
的梨树，又大又鲜亮的梨

子挂满了枝头，很是诱人。许多路过的人都抢着摘梨吃，以解口渴。而许衡却端端正正地坐在树下乘凉，对树上的梨子视而不见。

有位路人摘了一个梨子给他，他却不收。那人很惊讶，没好气地问他为什么不吃。他回答到："不是自己的东西而随便拿取，实在不应该！"

那个人说："世道这么乱，恐怕这棵荒郊的梨树不会有什么主人吧？"

许衡听了之后，反问道："即使这梨树没有主人，难道我们的心也没有主人吗？"

众人听了都很叹服，不再摘梨吃了，宁愿强忍口渴。

shì wù máng　máng duō cuò
事勿忙，忙多错；

wù wèi nán　　wù qīng lüè
勿畏难，勿轻略。

【注释】忙：慌张。畏：害怕。

【译文】做事不要慌张，慌乱容易酿成过错；做事不要害怕艰难，要下定决心，排除万难，做事也不要马虎草率，要认真对待每一件事。

愚公移山

gǔ shí hou　wǒ guó běi fāng yǒu liǎng zuò xiāng lín de dà shān　jiào
古时候，我国北方有两座相邻的大山，叫
zuò tài háng　wáng wū　　liǎng zuò shān fāng yuán yǒu qī bǎi yú lǐ
做太行、王屋。两座山方圆有七百余里。

běi shān yǒu yí wèi jiào yú gōng de lǎo rén　nián jì jiāng jìn jiǔ shí
北山有一位叫愚公的老人，年纪将近九十
gāo líng le　qià hǎo miàn duì dà shān ér zhù　　tā kǔ yú shān běi dào
高龄了，恰好面对大山而住。他苦于山北道
lù zǔ sè　chū rù yào zǒu yuǎn lù　　yú shì jiù zhào jí le quán jiā rén
路阻塞，出入要走远路，于是就召集了全家人
bǎ shān bān zǒu
把山搬走。

yú gōng dài lǐng zǐ sūn zhōng néng tiāo dàn zi de sān gè rén shàng shān
愚公带领子孙中能挑担子的三个人上山，
pò shí wā tǔ　yòng jī kuāng bǎ shān shí yùn dào bó hǎi de xī biān
破石挖土，用箕筐把山石运到渤海的西边。

河曲有一个叫智叟的人，嘲笑愚公不自量力。北山愚公深深地叹息：

"你真是顽固。就算我死了，还有我的儿子在；儿子又生孙子，孙子又生儿子，子子孙孙，是没有穷尽的。然而山又不增加高度，还怕不能被铲平吗？"智叟无言以对。

玉皇大帝听说了这件事，被愚公的诚心感化，于是就命气力之神夸蛾氏的两个儿子背着太行、王屋两座山，一座放在了朔方以东，一座放在了雍州以南。自此以后，冀州的南面，汉水的北面，就不再有什么阻隔了。

dòu nào chǎng　　jué wù jìn
斗闹场，绝勿近；
xié pì shì　　jué wù wèn
邪僻事，绝勿问。

【注释】斗闹：打斗争闹。绝：绝对。邪僻：不正当。

【译文】遇到打斗争闹的场面，绝对不要靠近；遇到奇邪怪僻的事，绝对不要过问。

不问世事

táng dài shí　yǒu wèi xián dá zhī rén　　míng jiào dòu wēi　　zì wén
唐代时，有位贤达之人，名叫窦威，字文
wèi　　tā xìng gé bǐ jiào chén wěn jìng mò　　shāo yán guǎ yǔ　　dàn shì
蔚。他性格比较沉稳静默，少言寡语，但是

tā qín fèn hào xué　dú le hěn duō shū
他勤奋好学，读了很多书。

nèi shǐ lìng lǐ dé lín fā xiàn tā pō
内史令李德林发现他颇
jù cái huá　　hěn shì shǎng shí　biàn rèn mìng tā
具才华，很是赏识，便任命他
wéi mì shū láng　　rán ér dòu wēi bú mù míng
为秘书郎。然而窦威不慕名
lì　　bù qiú wén dá　　dào le gāi diào rèn de
利，不求闻达，到了该调任的
shí hou　　tā què yāo qiú bú diào　　yīng gāi shēng
时候，他却要求不调；应该升
guān de shí hou　　tā yě yāo qiú bù shēng
官的时候，他也要求不升。

就这样，在一个职位上，他干了十年之久。

这个时候，他的几个哥哥却因为屡建军功，提拔得非常快，他们都看不起窦威。

蜀王秀让他当记室，他以病相辞。而到了大业年间，他出任内史舍人，官职显达，垂名青史。窦威不问世事，只管读书，成就了自己的学业和事业。

jiāng rù mén　　wèn shéi cún
将入门，问谁存；

jiāng shàng táng　　shēng bì yáng
将上堂，声必扬。

【注释】扬：传播出去。

【译文】到别人家中拜访，应当先敲门，问问家里有没有人，得到主人的同意才可进门；进入正堂之前，要大声向主人问好。

两耳不闻窗外事

nán běi cháo shí qī　　yǒu yí gè zhù míng de xué zhě jiào wáng zhān
南北朝时期，有一个著名的学者叫王瞻，

tā zì yòu xǐ huan dú shū　　ér qiě dú shū de shí hou tè bié zhuān
他自幼喜欢读书，而且读书的时候特别专

xīn　　bú wèi bié de shì qing suǒ gān
心，不为别的事情所干

rǎo　　zài suì de shí hou　　tā yǐ
扰。在7岁的时候，他已

jīng dú guò hěn duō shū　　bìng qiě dōu yòng
经读过很多书，并且都用

xīn qù dú　　zǐ xì lǐng wù qí zhōng de
心去读，仔细领悟其中的

yì si　　dà jiā dōu chēng tā wéi　　shén tóng
意思，大家都称他为"神童"。

yǒu yì tiān　　wáng zhān hé tā de
有一天，王瞻和他的

同学正在学堂里读书，忽然外面一阵喧闹，接着锣鼓声，鞭炮声，还有人的笑声接踵而至。王瞻的同学们坐不住了，都跑出去凑热闹去了，可王瞻还是一个人坐在那里认真地朗诵课文。

一会儿，一个同学回来了，冲着王瞻喊："快出来看呀，那边正在娶新媳妇呢？你在那里傻呆着干什么？"王瞻答道："我正在思考这句话的意思呢。"说完又继续读课文了。老师看见7岁的孩童竟有这样的自制力，不禁十分佩服。

rén wèn shéi   duì yǐ míng
人 问 谁 ? 对 以 名 ，

92

wú yǔ wǒ   bù fēn míng
吾 与 我 ， 不 分 明 。

【注释】以：用。分明：明白，知道。

【译文】别人问姓名时，应当非常明确地回答别人的问话，不要只说一声"是我"，这样人家还是不会知道你是谁，就等于没说。

萧何的"赞拜不名"

gǔ dài dà chén qù jiàn guó jūn huò xià jí bài jiàn shàng jí de shí
古代大臣去见国君或下级拜见上级的时

hou dōu yào zì jǐ jiào zhe zì jǐ de míng zi zhè yàng guó jūn huò
候，都要自己叫着自己的名字，这样国君或

shàng jí jiù qīng chu shì shéi lái le zhǐ yǒu hěn yǒu wēi wàng huò zhě yǔ
上级就清楚是谁来了。只有很有威望或者与

huáng dì guān xì mì qiè de rén rù cháo qiú jiàn cái kě yǐ zài bài jiàn
皇帝关系密切的人入朝求见，才可以在拜见

shí bù chēng zì jǐ de míng zi zhè zài gǔ dài jiào zuò zàn bài bù
时不称自己的名字，这在古代叫做"赞拜不

míng hàn cháo chéng xiàng xiāo hé jiù xiǎng yǒu zhè yí dài yù
名"。汉朝丞相萧何就享有这一待遇。

yuán lái liú bāng dé tiān xià hòu lùn gōng xíng shǎng zhào dìng yuán
原来，刘邦得天下后，论功行赏，诏定元

gōng shí bā rén wèi cì duì shéi wéi dì yī gōng chén qún chén céng jīng
功十八人位次。对谁为第一功臣，群臣曾经

发生过争执。大家都说平阳侯曹参身被七十创，攻城略地，功劳最多，宜为第一。但是，关内侯鄂千秋则认为，曹参虽然有野战之功，但是这只是"一旦之功"，比起萧何而言就差很多了。萧何转输兵员、粮草，巩固后方，是"万世之功"。萧何当为第一功臣。刘邦认为这一观点正确，于是赐萧何"剑履上殿，入朝不趋，赞拜不名。"这就是说萧何可以带着剑到皇帝的宫殿走动，他上朝参拜皇上的时候不用下跪，打个拱手说"参见皇上"即可。这可是做臣子最高的礼遇了。

yòng rén wù　　 xū míng qiú
用人物，须明求，

tǎng bú wèn　　 jí wéi tōu
倘不问，即为偷。

94

【注释】须：必须。倘：通"倘"，假若。

【译文】借用别人的东西，应该当面向人家请求；如果预先不告诉人家，就是偷东西了。

灯　谜

míng cháo zhèng dé nián jiān　　háng zhōu kāi dēng mí dà huì　　nà shí
明朝正德年间，杭州开灯谜大会。那时，

zhù zhī shān zhèng hǎo yě lái dào háng zhōu yóu wán　　tīng shuō yǒu dēng mí dà
祝枝山正好也来到杭州游玩，听说有灯谜大

huì　 yě xiǎng kàn kan rè nào
会，也想看看热闹。

hú pàn dào chù dōu guà mǎn le dēng mí　　míng mù fán
湖畔到处都挂满了灯谜，名目繁

duō　 zhù zhī shān yě ná chū le yù xiān zhǔn bèi hǎo de fàng
多，祝枝山也拿出了预先准备好的放

dà jìng　 zhè biān qiáo qiao　 nà biān kàn kan
大镜，这边瞧瞧，那边看看。

zhù zhī shān zǒu ya zǒu　　kě shì zǒng yě
祝枝山走呀走，可是总也

méi yǒu cāi chū yí gè mí miàn　 xīn zhōng bù miǎn
没有猜出一个谜面，心中不免

yǒu xiē shī luò　　hū rán tā zǒu dào yí gè
有些失落。忽然他走到一个

地方，站着不动了。因为面前挂出来的谜语与众不同，一边挂了一张关公脸，一边挂了一串一千文的铜钱，说是打一俗语。祝枝山看了一下，不声不响地搬张凳子站了上去，拿起那串铜钱就走。围观的人将他带到了灯谜长那儿，要灯谜长裁决处置。

灯谜长微笑着对众人说："他呀，猜中了！这不正是那句'只要铜钿，勿要面孔'的俗语？"

祝枝山确实十分聪明，只是他的做法有些欠妥。如果他直接说出谜语，而不是选择一种表演的方式拿钱就走，也许就不会让人误解了。

jiè rén wù jí shí huán

借人物，及时还，

rén jiè wù yǒu wù qiān

人借物，有勿悭。

【注释】还：归还。悭：小气。

【译文】借了别人的东西，应当及时归还；如果别人向你借东西，有的话就痛快地借给别人，不要小气。

望而生畏

xiāng chuán liú bèi jiè dé le jīng zhōu dàn bìng méi yǒu guī huán zhī

相传，刘备借得了荆州，但并没有归还之

yì bìng bǎ dà quán jiāo gěi le guān yǔ

意，并把大权交给了关羽。

lǔ sù zhǎo lái lǚ méng hé gān níng zhǔn bèi yuē guān yǔ qià tán

鲁肃找来吕蒙和甘宁，准备约关羽洽谈

cǐ shì bù xíng jiù wǔ lì zhēng qǔ guān yǔ jiē dào lǔ sù de yāo

此事，不行就武力争取。关羽接到鲁肃的邀

qǐng xìn hòu zhī xiǎo qí zhōng yǒu zhà dàn réng jué dìng dān dāo fù huì

请信后，知晓其中有诈，但仍决定单刀赴会。

tā fēn fu zhōu cāng bèi mǎ

他吩咐周仓备马。

zhōu cāng bù jiǔ huí bǐng jiāng jūn jiǔ wèi kuà mǎ zhēng zhàn bǎo

周仓不久回禀："将军久未跨马征战，宝

dāo yǐ jīng shēng xiù la guān yǔ wèn dào nà nǐ wèi shén me bù

刀已经生锈啦！"关羽问道："那你为什么不

mó dāo ne

磨刀呢？"

周仓答道："楚地百日大旱，久不降雨，无水磨刀！"关羽着急了，说："难道你不能向天河借点磨刀雨吗？"

周仓惊奇地说："龙王不会同意的。"关羽心中恼火，大吼一声："你不借我磨刀雨，我就不准你龙晒衣！"

他这声大吼，震撼天地，也惊动了东海龙王。龙王恐惧，连忙向天帝启奏。

玉帝说："那你就借给他十天半月的磨刀雨吧！"后来，关羽单刀前往陆口会见鲁肃，东吴的将士在陆口早已埋伏，但是看到周仓为关羽扛着用借的天水磨得锃亮闪光的青龙偃月宝刀，一个个望而生畏，谁也不敢轻举妄动。

fán chū yán　　xìn wéi xiān

凡出言，信为先，

zhà yǔ wàng　　xī kě yān

诈与妄，奚可焉？

【注释】凡出言，信为先：《论语·为政》："人而无信，不知其可也（不知道他怎么可以立身处世）。"诈与妄：诈，欺骗。妄，胡言乱语。奚：怎么。

【译文】说话，最重要的是讲诚信；撒谎或胡说八道，那怎么可以呢？

天上一句，地下一句

xiāng chuán yí gè cūn zhōng yǒu sān gè ài chuī niú de rén　　jiào zhāng
相传一个村中有三个爱吹牛的人，叫张

sān　 lǐ sì　 wáng wǔ　　 yǒu yí cì　　 tā men zài yì qǐ hē jiǔ
三、李四、王五。有一次，他们在一起喝酒，

jiù chuī kāi le
就吹开了。

zhāng sān shǒu xiān kāi kǒu shuō
张三首先开口，说：

wǒ jiā liǎn pén wǔ
"我家脸盆五

shí gè rén xǐ zǎo shéi yě
十个人洗澡，谁也

kàn bu jiàn shéi
看不见谁。"

李四听着，说："这有什么稀罕的，我们家的大锅，当年黄帝大战蚩尤时，用这口锅给万员大军做了一锅大米饭，他们吃了两天也只吃了一半！"

王五也高兴地说："这不算新鲜！我们家的先祖，过去住在南方，种倭瓜天下有名。记得当年曹操率大军南下，途经我们家，因为粮草短缺就要我们家的倭瓜当作饭吃。我们的老祖先给他们切了一小块，八十三万大军吃了一个月，也还没有吃完呢！"

这时门外有一爷孙俩，小孙子好奇地问

爷爷：“爷爷，这么大的瓜，怎么吃呢？”

爷爷回答说：“用锯子锯啊！”

孙子又问道：“瓜都这么大了，锯子得多大呀！那怎么锯呢？”

爷爷指了指三个吹牛的人说："简单，天上一锯，地上一锯嘛！"三人听后面红耳赤。后来这话就成了"天上一句，地上一句"的俗话。

shuō huà duō　　bù rú shǎo
说话多，不如少，

wéi qí shì　　wù nìng qiǎo
惟其是，勿佞巧。

【注释】说话多，不如少：《孔子家语》："无多言，多言多败。"惟其是：惟，只有，只要。是，恰当，无误。佞巧：逢迎讨好，奸诈机巧。《史记·周本纪》："石父为人佞巧，善谀好利。"佞，会说动听的话。

【译文】说话说得太多，还不如说得少些，关键是说话要说到点子上；讲道理，不要花言巧语，油嘴滑舌。

妙语救人

zhū gě jǐn shì sān guó shí qī sūn quán shǒu xià de dà chén　　píng
诸葛瑾是三国时期孙权手下的大臣，平

shí huà bù duō　　dàn cháng cháng zài jǐn yào guān tóu　　jǐ jù huà jiù néng
时话不多，但常常在紧要关头，几句话就能

jiě jué wèn tí
解决问题。

yǒu yí cì xiào wèi yīn mó bèi sūn quán wù
有一次校尉殷模被孙权误

jiě　　yào bèi shā tóu　　dà chén men dōu
解，要被杀头，大臣们都

xiàng sūn quán qiú qíng　　rén men yuè shuō
向孙权求情，人们越说，

sūn quán yuè shēng qì　　zhè yàng jiāng chí
孙权越生气，这样僵持

le hěn jiǔ
了很久。

dāng shí zhǐ yǒu zhū gě jǐn yì yán bù fā   sūn quán gǎn dào hěn
当时只有诸葛瑾一言不发，孙权感到很
qí guài jiù wèn   wèi shén me zǐ yú   zhū gě jǐn zì zǐ yú
奇怪，就问："为什么子瑜（诸葛瑾字子瑜）
bù shuō huà
不说话？"

zhū gě jǐn shuō   wǒ yǔ yīn mó de jiā xiāng zāo yù zhàn luàn
诸葛瑾说："我与殷模的家乡遭遇战乱，
suǒ yǐ cái lái tóu bèn bì xià   xiàn zài yīn mó bù sī jìn qǔ   gū
所以才来投奔陛下。现在殷模不思进取，辜
fù le nín   hái qiú shén me kuān shù ne
负了您，还求什么宽恕呢？"

duǎn duǎn jǐ jù huà   sūn quán jiù gǎn dào yīn mó bù yuǎn qiān lǐ
短短几句话，孙权就感到殷模不远千里
lái tóu bèn zì jǐ   jí shǐ yǒu shén me guò cuò yě yīng gāi yuán liàng
来投奔自己，即使有什么过错也应该原谅，
yú shì jiù bǎ yīn mó shè miǎn le
于是就把殷模赦免了。

刻 薄 语 ， 秽 污 词 ，

kè bó yǔ，huì wū cí

市 井 气 ， 切 戒 之 。

shì jǐng qì，qiè jiè zhī

【注释】秽污：不干净。气：习气。

【译文】不要讲刻薄挖苦的话，不要说下流肮脏的话；无知愚昧，没有品味的世俗习气，一定要切实地改掉。

爱骂人的皇帝

刘邦年轻的时候游手好闲，只知道吃喝玩乐，整天不务正业，所以染上了浓浓的市井气。而这些粗俗的习惯，差点葬送了他的前程。

一年，刘邦和项羽在彭城展开了一场战争。当时，刘邦率领军队刚进入彭城，项羽就发动了偷袭。刘邦的军队无力反抗，几乎全军覆没，刘邦侥幸逃脱。

当时情势相当被动，于是刘邦请人去游

说当时著名的战将魏豹归附自己。

但魏豹拒绝了，理由是：汉王（刘邦）为人傲慢无礼，以侮辱别人为乐，难以相处。

夺取天下后，刘邦依然不改这种坏脾气。

一天，一个叫陆贾的人在刘邦面前大赞《诗经》和《尚书》是如何得好，说得眉飞色舞。

刘邦听了，不以为然，一拍桌子，说："老子是在马上打下的天下，这《诗经》和《尚书》有什么屁用！"

陆贾也是一个十分倔犟的人，一听此言，立刻反驳道："你虽然能在马上取得天下，但是能够在马上治理天下吗？"

刘邦一听，觉得陆贾这话说得非常有道理，连忙道歉，还谦恭地向他讨教治国的道理。

jiàn wèi zhēn wù qīng yán
见未真，勿轻言，

zhī wèi dí wù qīng chuán
知未的，勿轻传。

【注释】的：明白。轻传：随便乱传。

【译文】如果自己还没有把事情弄清楚，就不要随便乱发言；如果听到的事情没有根据可言，也不要随便乱传。

心中有数

hàn cháo shí yǒu yuán dà jiàng jiào zhào chōng guó tā hěn shú xī
汉朝时有员大将，叫赵充国。他很熟悉

hàn chū xī běi bù de xiōng nú hé xī qiāng zú de qíng kuàng tā yǒu
汉初西北部的匈奴和西羌族的情况。他有

yǒng yǒu móu tōng xiǎo bīng fǎ xuān dì jí wèi hòu tā bèi fēng wéi yíng
勇有谋，通晓兵法，宣帝即位后他被封为营

píng dì hóu
平地侯。

gōng yuán nián xī
公元63年，西

qiāng gè bù luò huì méng lián hé fā bīng
羌各部落会盟，联合发兵

gōng jī hàn cháo hàn xuān dì jīng guò yǔ cháo
攻击汉朝。汉宣帝经过与朝

zhōng dà chén shāng yì rèn wéi zhǐ yǒu zhào chōng
中大臣商议，认为只有赵充

guó zuì shú xī xī qiāng de qíng kuàng kě shì
国最熟悉西羌的情况。可是

他已76岁高龄，还能出征打仗吗？汉宣帝没有办法，只好派御史大夫丙吉去征求赵充国的意见。赵充国自告奋勇，说："要平定西羌，我这个糟老头还算合适。"

赵充国来到金城，进行了实地调查研究，并且渡过了黄河，侦察羌人地区的形势。他又从俘虏口中，问明了羌族各部落首领之间的亲疏离合关系，于是定出了驻兵屯守的计划，主张对待羌人不进行正面攻剿而采取分化瓦解。

赵充国就把这个计划奏报了宣帝。宣帝和群臣经过反复商讨，最后同意了赵充国的方案，果然，实行的效果不错。汉人和羌人一时的紧张形势随即安定下来。赵充国弄清问题才发表意见的做法也得到了人们的肯定。

shì fēi yí，wù qīng nuò，
事非宜，勿轻诺，
gǒu qīng nuò，jìn tuì cuò
苟轻诺，进退错。

【译文】不合理的事情，不要轻易向别人许诺；假若轻易许诺了，就容易使自己陷入进退两难的境地。

范仲淹信守诺言

fàn zhòng yān de lǎo shī lǐ xiān sheng lín zhōng qián jiāo gěi fàn zhòng
范仲淹的老师李先生临终前，交给范仲
yān yí gè bāo guǒ lǐ miàn yǒu yì zhāng zǔ chuán de liàn
淹一个包裹，里面有一张祖传的炼
jīn mì fāng ràng fàn zhòng yān zhuǎn jiāo gěi tā de
金秘方，让范仲淹转交给他的
ér zi
儿子。

fàn zhòng yān lái dào jīng chéng tā lù jiàn
范仲淹来到京城，他路见
bù píng ái rén dú dǎ bèi wáng dà rén jiù
不平，挨人毒打，被王大人救
le xià lái hòu lái tā fā xiàn wáng dà rén
了下来。后来，他发现王大人
hé lǐ xiān sheng shì tóng xiāng jiù bǎ lǐ xiān sheng de
和李先生是同乡，就把李先生的
shì gào su le wáng dà rén
事告诉了王大人。

没几日，一位自称是李先生儿子的少年来到府上，投靠王大人。那少年见到范仲淹就问："家父有何留下的东西？"范仲淹迟疑了一下，进屋拿出一个包裹交给少年。

当夜，那少年拿着包裹悄悄地来到王大人的屋里，将包裹交给了王大人。王大人说："我终于如愿以偿了。"

原来同乡、李先生的儿子，都是王大人一手策划的。

王大人打开包裹一看，里面全是杂物。原来范仲淹早已看出了破绽，偷偷将包裹调了包。

三年后，范仲淹信守诺言，找到了李先生的儿子，将珍藏的包裹亲自交给了他。

fán dào zì　zhòng qiě shū
凡 道 字 ， 重 且 舒 ，

wù jí jí　　wù mó hu
勿 急 疾 ， 勿 模 糊 。

【注释】道字：说话吐字。舒：流畅。

【译文】说话的时候，要吐字清晰，速度放缓；不要太急，不要吐字模糊不清，否则会让人弄不明白你说的什么。

悬河泻水

jìn cháo de shí hou　yǒu gè shí fēn chū míng de qīng tán jiā　míng
晋朝的时候，有个十分出名的清谈家，名

zì jiào guō xiàng　hào zǐ xuán　tā cóng xiǎo jiù fēi cháng ài hào dú shū
字叫郭象，号子玄。他从小就非常爱好读书，

yòu shàn yú sī kǎo
又善于思考。

duì rì cháng shēng huó zhōng bié rén shú shì wú dǔ de dōng
对日常生活中别人熟视无睹的东

xi　tā dōu xǐ huan zhuī gēn jiū dǐ　tàn
西，他都喜欢追根究底，探

tǎo chū yuán gù jiū jìng
讨出缘故究竟。

jīng guò qín fèn kè kǔ de xué
经过勤奋刻苦的学

xí　hòu lái guō xiàng chéng wéi le yí gè
习，后来郭象成为了一个

xué shí guǎng bó yòu tán fēng shèn jiàn de xué zhě
学识广博又谈锋甚健的学者。

他不仅能把前人的见解和哲理讲得清清楚楚，又能根据前人的论点自由发挥。所以，他讲起话来，就如同决堤的江水，滔滔不绝。

当时，最有名的清谈家叫王衍，他对郭象的才华颇为赏识，经常称赞郭象说话"如悬河泻水，注而不竭"。意思是说，郭象说话如同半空中的河流泻水一般，直往下泻，不会枯竭。这真是非常高的评价。

bǐ shuō cháng　　cǐ shuō duǎn
彼说长，此说短，

bù guān jǐ　　　mò xián guǎn
不关己，莫闲管。

【注释】莫：不要。闲管：管闲事。

【译文】公说公有理，婆说婆有理，是非长短，别人的事是很难讲清楚的。如果和自己没有关系，就不要多管别人家的闲事。

jiàn rén shàn　　jí sī qí
见人善，即思齐，

zòng qù yuǎn　　yǐ jiàn jī
纵去远，以渐跻。

【注释】见人善，即思齐：《论语·里仁》："见贤思齐焉，见不贤而内省也。"纵：虽然。跻：登，上升。

【译文】看到别人品质善良，就要向这样的人看齐；即使自己与他们相去甚远，时间长了，坚持不懈，差距就会慢慢拉小。

兄弟求贤

dōng jìn de shí hou　　yǒu liǎng xiōng dì
东晋的时候，有两兄弟，

yí gè jiào sūn qián　　yí gè jiào sūn fàng
一个叫孙潜，一个叫孙放。

liǎng rén cóng xiǎo jiù cōng míng hào xué　　chú le
两人从小就聪明好学，除了

xué xí shū běn shang de zhī shi　　hái shí kè
学习书本上的知识，还时刻

xiǎng zhe xué xí bié rén de shàn xíng
想着学习别人的善行。

yì tiān　　tā men qù bài fǎng dāng shí
一天，他们去拜访当时

fēi cháng yǒu míng de dà chén yǔ liàng
非常有名的大臣庾亮。

庚亮早就听说过这两兄弟的事情，就想试试他们。

庚亮问孙潜："你的字是什么？"

孙潜回答："我的字叫齐由。"

庚亮说："为什么要取这个字呢？"

孙潜回答："因为我想向许由看齐。"

原来，许由是上古时期尧的贤士。当时尧想要把君位让给他，但他觉得自己才疏学浅，就推辞掉了。孙潜觉得许由这种谦虚的精神很值得自己学习，于是就以齐由为自己的字。

庾亮又问孙放：“那你的字是什么？”

孙放回答：“字齐庄。”

庾亮问：“你想向谁看齐呢？”

孙放说：“我想向庄周看齐。”

庄周是古代著名的思想家，孙放决心以他为目标，努力学习。

后来，兄弟俩果然有所作为，孙潜做了豫章太守，孙放当了长沙相。

jiàn rén è　　jí nèi xǐng
见人恶，即内省，

yǒu zé gǎi　　wú jiā jǐng
有则改，无加警。

【注释】内省：内心反省。警：引以为戒。

【译文】看到别人品质恶劣，自己也要内心反省；如果自己也有这种恶劣的品质，就要尽力改掉，如果没有也要引以为戒，多加注意。

曾子自省

zēng zǐ shì kǒng zǐ de xué shēng　jiào zēng
曾子是孔子的学生，叫曾
cān　 shì ge fēi cháng zhù zhòng dào dé xiū yǎng de
参，是个非常注重道德修养的
rén　 tā měi tiān wǎn shang xiū xi zhī
人。他每天晚上休息之
qián　zǒng shì duì zì jǐ yì tiān de suǒ
前，总是对自己一天的所
zuò suǒ wéi jìn xíng fǎn sī　gěi rén zuò
作所为进行反思：给人做
shì shì bú shì jìn xīn jìn lì le
事是不是尽心尽力了？
yào xué xí de dōng xi dōu zhǎng wò le ma　yǔ péng
要学习的东西都掌握了吗？与朋
you jiāo wǎng　yǒu bù shǒu xìn yòng de dì fang ma
友交往，有不守信用的地方吗？

lǎo shī chuán shòu de zhī shi
老师传授的知识，
shì fǒu dōu wēn xí guo le ne
是否都温习过了呢？
tā zhè zhǒng qín yú fǎn sī shí shí zhù
他这种勤于反思，时时注
yì jiā qiáng zì shēn xiū yǎng de jīng shén shì lìng
意加强自身修养的精神是令
rén qīn pèi de jīn tiān wǒ men yě yào jì xù fā yáng zhè zhǒng zì
人钦佩的。今天，我们也要继续发扬这种自
wǒ fǎn xǐng de jīng shén bù jǐn zì jǐ de shì qing jiù shì jiàn dào
我反省的精神，不仅自己的事情，就是见到
bié rén zuò shì shí yě yào liú xīn xué xí guān chá chù chù zǒng jié
别人做事时，也要留心学习观察，处处总结
jīng yàn jiào xùn
经验教训。

wéi dé xué　wéi cái yì
惟德学，惟才艺，

bù rú rén　dāng zì lì
不如人，当自励。

【注释】德学：道德，学问。励：努力。

【译文】为人最重要的是道德、学问、才干、本领四个方面；在这些方面如果不如别人，就要不断努力，奋起直追。

一字之师

fàn zhòng yān xíng wén zuò shī　lì lái jiǎng jiū wén cí　rú guǒ fǎn
范仲淹行文做诗，历来讲究文辞，如果反
fù tuī qiāo réng gǎn bù tuǒ　tā jiù ná qù qǐng jiào bié rén
复推敲仍感不妥，他就拿去请教别人。

yí cì　tā bǎ wén zhāng jiāo gěi le nán fēng de lǐ tài bó děng
一次，他把文章交给了南丰的李泰伯等
rén kàn　qí tā rén fǎn fù yín sòng　chēng zàn bù yǐ　zhǐ yǒu lǐ
人看。其他人反复吟诵，称赞不已，只有李
tài bó mò bú zuò shēng　hái zài sī cǔn　fàn zhòng yān zhī dào tā yí
泰伯默不作声，还在思忖。范仲淹知道他一
dìng yǒu xiǎng fǎ　jiù qiān gōng de wèn　qǐng lǐ xiān sheng tán tan gāo jiàn
定有想法，就谦恭地问："请李先生谈谈高见。"

lǐ tài bó jiàn tā tài dù zhēn chéng hé ǎi　jiù qǐ shēn shuō　fàn
李泰伯见他态度真诚和蔼，就起身说："范
gōng wén zhāng yì chū　bì chuán bù sì fāng　kěn dìng néng huò dé shèng míng
公文章一出，必传布四方，肯定能获得盛名，
dàn wǒ xiǎng dǒu dǎn gǎi yí zì
但我想斗胆改一字。"

范仲淹听了非常高兴，激动地握住了李泰伯的手，让他快说，泰伯说："云山苍苍，江水泱泱，两句气势壮阔，紧接着一个'先生之德'显得气魄太小，两相不太和谐，依我看，'德'字应改为'风'字为宜，不知诸公怎么看？"

语音刚落，别人还没应话，范仲淹先大声叫好，并且敬重地对他说："我从此拜您为'一字之师'！"为表示郑重，范仲淹送给了"一字之师"一千两银子。范仲淹能成大业，与这种谦虚好学的精神大有关系。

ruò yī fú ruò yǐn shí
若衣服，若饮食，
bù rú rén wù shēng qī
不如人，勿生戚。

【注释】戚：悲伤。

【译文】吃穿不如人，并没有什么不光彩的，不要因此而悲伤，重要的是集中精力，用心治学修身。

外表与内在

ài yīn sī tǎn shì yí wèi wén míng shì jiè de kē xué jiā tā
爱因斯坦是一位闻名世界的科学家，他
zài wù lǐ xué fāng miàn qǔ dé le jiāo rén de chéng jì wèi rén lèi de
在物理学方面取得了骄人的成绩，为人类的
jìn bù zuò chū le jié chū de gòng xiàn
进步作出了杰出的贡献。

zài ruì shì zhōng xué qiú xué de shí hou yǒu yí cì tā bèi yāo qǐng
在瑞士中学求学的时候，有一次他被邀请
cān jiā yí wèi tóng xué de shēng rì yàn huì
参加一位同学的生日宴会。

zài zuò de tóng xué yī zhuó dōu hěn kǎo
在座的同学衣着都很考
jiū tǐ miàn zhǐ yǒu ài yīn sī tǎn
究、体面，只有爱因斯坦
chuān de hé píng shí yí yàng
穿得和平时一样，
méi yǒu dǎ bàn
没有打扮。

一位同学见状，毫不客气地将他上下全身打量了一番，然后对他说："你父亲的生意是不是很不顺利呀？"爱因斯坦却并没有因此感到丝毫尴尬，反而坦率地说："父亲的生意是有些不顺利，但也不至于买不起一件衣服。"

这时一位同学哈哈大笑，说："既然买得起，何不买一件，打扮得体面一点呢？"

爱因斯坦却十分严肃地告诉他："我认为作为青年，不能只知向社会索取，而应该多思考怎样为社会作贡献！"一句话，把那些只知道追求外表而不懂内在修养的同学说得无言以对！

wén guò nù wén yù lè
闻过怒，闻誉乐，

sǔn yǒu lái yì yǒu què
损友来，益友却。

【注释】怒：生气。益友：好朋友。

【译文】如果听到别人说你的过错就生气，听到有人夸奖你就高兴，那么坏朋友就会靠近你，好朋友就会离开你。

完善自我

dà xué wèn jiā mèng zǐ yǔ tā de xué shēng tán dào yǒng yú jiē
大学问家孟子与他的学生谈到勇于接
shòu pī píng de wèn tí jǔ chū le sān wèi míng rén fēn bié shì
受批评的问题，举出了三位名人，分别是
zǐ lù yǔ hé shùn
子路、禹和舜。

zǐ lù shì chūn qiū shí qī lǔ guó rén yòu míng zhòng tián shī cóng
子路是春秋时期鲁国人，又名仲田，师从
kǒng zǐ shì kǒng mén xián zhī yī tā wéi rén chéng shí gāng zhí hào
孔子，是孔门72贤之一。他为人诚实，刚直好
yǒng ér qiě tā fēi cháng yuàn yì bié rén zhǐ chū tā de quē diǎn dāng
勇。而且他非常愿意别人指出他的缺点，当
bèi zhǐ chū de shí hou tā bù jǐn bù shēng qì fǎn ér tè bié gāo
被指出的时候，他不仅不生气，反而特别高
xìng tā xū xīn tīng qǔ yǒu zé gǎi zhī wú zé jiā miǎn xué wèn
兴。他虚心听取，有则改之，无则加勉，学问
pǐn dé tiān tiān dōu yǒu zhǎng jìn
品德天天都有长进。

禹，是民间传说中夏朝的开国国君，曾经治理黄河，平息了水患。他和尧、舜等都是被人们世代传颂的上古贤君。禹为人十分谦虚，听到别人对他的善言相劝，常常感激得下拜。

舜，也是传说中的古代贤君，人们都称他为"大舜"。他曾经让位给禹。孟子说，舜要比禹伟大，他能够善与人同，舍己为人，与人为善。

所谓"善与人同"就是说不把成绩和优点看作是个人独占的，而是和百姓共有的。舜曾经在历山耕田种地，在河滨烧窑制瓷，在雷泽制网捕鱼。从他做农民，做陶工，做渔夫，到最后做天子，所有的长处都是向别人求教学来的。

这三人共同的优点是善于采纳别人的意见，为己所用，完善自我，因而各自成就了一番事业。

wén yù kǒng   wén guò xīn
闻誉恐，闻过欣，
zhí liàng shì   jiàn xiāng qīn
直谅士，渐相亲。

【注释】直谅士：正直诚实的知识分子。亲：亲近。

【译文】如果听到别人夸奖你，就心中不安，听到别人指出你的过错就高兴不已，那么正直的朋友就会愿意与你结交亲近。

佛印禅师评诗

běi sòng zhù míng wén xué jiā sū dōng pō dāng nián zài jiāng běi guā zhōu
北宋著名文学家苏东坡当年在江北瓜州
rèn zhí shí hé jiāng duì àn jīn shān sì li de zhù chí fó yìn chán shī
任职时，和江对岸金山寺里的住持佛印禅师
fēi cháng yào hǎo liǎng rén jīng cháng yì qǐ tán chán lùn dào
非常要好，两人经常一起谈禅论道。

yì tiān   sū dōng pō zì rèn wéi duì
一天，苏东坡自认为对
chán de lǐ jiě yǐ jīng hěn yǒu jìng jiè le
禅的理解已经很有境界了，
biàn xiě le yì shǒu shī   qǐ
便写了一首诗："稽
shǒu tiān zhōng tiān háo guāng zhào
首天中天，毫光照
dà qiān   bā fēng chuī
大千。八风吹
bú dòng duān zuò zǐ jīn
不动，端坐紫金

莲。"他认为这首诗写得非常好，于是派书童过江，把诗送给佛印禅师。

没想到佛印禅师看过诗后，拿笔写了两个字，就叫书童带回去。

苏东坡以为佛印禅师一定会对自己的诗大加赞赏，便急忙打开禅师的批示，没想到上面只有两个字——放屁。他觉得这个评语与自己心里的期望相差太远，不禁非常生气，立刻乘船过江去找禅师理论。

船快到金山寺时，佛印禅师早就在江边等候苏东坡了。苏东坡一见禅师，马上冲过去，气呼呼地说："禅师，我们的交情这么深，即使你不赞赏我的诗和修行,也不能骂人啊!"

佛印禅师若无其事地问:"我什么时候骂你了?我骂你什么呀?"

苏东坡把诗拿出来,指着上面的"放屁"二字给佛印禅师看。

禅师看了,呵呵大笑说:"原来是这回事啊。你诗中不是说'八风吹不动'吗?怎么一个屁就把你打过江了呢?"

苏东坡一听,知道禅师是在说自己太狂妄了,心中惭愧不已,同时也发现自己对禅的理解还不够,就乖乖回去研究了。

wú xīn fēi　　míng wéi cuò
无 心 非 ， 名 为 错 ，

yǒu xīn fēi　　míng wéi è
有 心 非 ， 名 为 恶 。

【注释】非：用作动词，做坏事。有心：明知故犯。

【译文】无心而做了不好的事，是一种过错；如果明知故犯，故意做坏事，就是一种恶劣的行为了，就会受到严厉的惩罚。

梁上小偷

dōng hàn shí　yǐng chuān jùn xǔ xiàn yǒu yí gè jiào chén shí de rén
东汉时，颍川郡许县有一个叫陈寔的人，

tā wéi rén gōng zhèng　bàn shì yě bǐ jiào gōng dào
他为人公正，办事也比较公道。

yǒu yì nián　hé nán dà hàn　bǎi xìng shēng huó kùn kǔ　yì tiān
有一年，河南大旱，百姓生活困苦。一天

bàn yè　yǒu gè xiǎo tōu qiāo qiāo qián rù le chén shí jiā zhōng　xiǎng yào tōu
半夜，有个小偷悄悄潜入了陈寔家中，想要偷

dōng xi　chén shí dāng shí tīng dào le shēng xiǎng　biàn qǐ chuáng chá kàn
东西。陈寔当时听到了声响，便起床查看。

xiǎo tōu jiàn zhuàng　jí máng pá dào le táng wū de zhōng liáng shang duǒ cáng le
小偷见状，急忙爬到了堂屋的中梁上躲藏了

qǐ lái　zhè yí qiè zǎo bèi chén shí kàn jiàn le　bú guò tā bìng méi
起来。这一切早被陈寔看见了，不过他并没

yǒu shēng zhāng
有声张。

他若无其事地把儿女子孙们全都叫到了堂屋中，然后神态严肃地教训他们说："作为人，无论什么时候都应该努力向上，严格要求自己。所谓坏人并不是天生就坏的，但是倘若沾染了坏习惯，长此以往，就会慢慢变坏的。我们眼前的这位梁上君子不就是这样吗？"

梁上的那个小偷听后大受启发，连忙从屋梁上跳了下来，叩头请罪。陈寔非常同情这个小偷的处境，吩咐家人取来两匹白绢，送给小偷。这件事传扬出去，以后，这一带很少再发生偷盗之类的事情了。

guò néng gǎi　guī yú wú
过 能 改 ， 归 于 无 ，

tǎng yǎn shì　zēng yì gū
倘 掩 饰 ， 增 一 辜 。

【注释】过：过错。辜：罪过。

【译文】如果自己有了过错但能知错就改，别人就不会在意了，就像你没犯过这种过错一样；如果自己有错而不知道改正，而且还试图遮掩，就等于又增加了一种过错。

告别过去，改过自新

huáng fǔ mì shì hàn dài de wén xué jiā hé yī xué jiā shàn xiě
皇甫谧是汉代的文学家和医学家，善写

shī fù　jīng tōng yī shù　yì shēng qǔ dé le hěn duō
诗赋，精通医术，一生取得了很多

chéng jiù　míng liú qīng shǐ　dàn shì　tā xiǎo de shí
成就，名留青史。但是，他小的时

hou què shì fàng zòng bù jī　hěn ràng jiā rén tóu tòng
候却是放纵不羁，很让家人头痛。

tā dāng shí zài shū fù jiā zhōng
他当时在叔父家中

shēng huó　shū fù cháng jiào dǎo tā yào
生活，叔父常教导他要

nǔ lì dú shū　kě tā quán bù dāng
努力读书，可他全部当

le ěr páng fēng
了耳旁风。

他很少
回家，整天和
一帮恶少在一起混。叔母眼看这孩
子都快二十岁了，再教育不过来，可真要完
了。叔母便把他叫到了自己面前，语重心长
地对他说："侄呀！你若再这样混下去，就太
让人痛心了，怎么就不懂要强争口气呢！"
　　说着，热泪就滚下来。叔母一席话，情感
真挚，都是发自肺腑的真话，这也让他深受
感动，悔恨交加，没等叔母把话说完，他就连
连念出了八个字："告别过去，改过自新。"他

弟子规
DI ZI GUI

xǐng wù hòu hěn kuài qù le xiān sheng jiā jiè le hěn duō shū
醒悟后，很快去了先生家，借了很多书。

cóng cǐ yǐ hòu tā zhuān xīn zhì zhì dú le hěn duō de shū
从此以后，他专心致志，读了很多的书，

fāng cái míng bai shū zhōng yuán lái yǒu zhè me duō de zhī shi hé dào lǐ
方才明白书中原来有这么多的知识和道理。

shéi liào zhèng dāng tā rè qíng mǎn huái lì zhì dú shū de shí hòu
谁料正当他热情满怀立志读书的时候，

què bú xìng huàn le fēng shī xìng má bì zhèng
却不幸患了风湿性麻痹症，

xíng dòng biàn de jí wéi bú biàn
行动变得极为不便。

rán ér jiù shi zài zhè zhǒng qíng
然而就是在这种情

kuàng xià tā yòng xīn gōng dú
况下，他用心攻读，

bìng qiě hái zhù shū lì shuō hòu
并且还著书立说。后

lái tā xiě de sān dū fù
来，他写的《三都赋

xù shì quàn lùn hé gāo
序》、《释劝论》和《高

shì zhuàn dōu bèi shòu shì
士传》都备受世

rén zhòng shì
人重视，

chéng wéi yì bǐ
成为一笔

bǎo guì de wén
宝贵的文

huà yí chǎn
化遗产。

130

fán shì rén，jiē xū ài，
凡是人，皆须爱，

tiān tóng fù，dì tóng zài
天同覆，地同载。

131

【注释】天同覆，地同载：《礼记·孔子闲居》："子曰：'天无私覆，地无私载，日月无私照，奉斯三者，以劳天下，此之谓三无私。'"覆，遮盖。载，承担。

【译文】对待每一个人，都要有爱心，因为我们大家生活在同一片蓝天下，共处在同一块土地上。

出人意料

zài hé lán hǎi biān yí gè yú cūn li　　yì tiān wǎn shang　　hǎi shàng
在荷兰海边一个渔村里，一天晚上，海上

de bào fēng chuī fān le yì tiáo yú chuán　　jiù yuán duì de duì zhǎng tīng dào
的暴风吹翻了一条渔船，救援队的队长听到

le jǐng xùn　　lì jí zǔ zhī jiù yuán　　dàn jiù yuán chuán wú fǎ zài shàng
了警讯，立即组织救援。但救援船无法载上

suǒ yǒu de rén　　zhǐ dé liú xià le qí zhōng de yí gè
所有的人，只得留下了其中的一个。

zài máng luàn zhong　　duì zhǎng yào lìng yí duì rén yuán qù dā jiù zuì
在忙乱中，队长要另一队人员去搭救最

hòu liú xià de rén　　suì de hàn sī yìng shēng ér chū　　tā de mǔ
后留下的人。16岁的汉斯应声而出。他的母

qīn zhuā zhe tā de shǒu bì shuō　　qiú qiu nǐ bú yào qù　　nǐ de fù
亲抓着他的手臂说："求求你不要去，你的父

亲 10 年前

在船难中

丧生，你的

哥哥保罗

三个礼拜前才

出海。你是我唯

一的依靠呀！"汉斯

回答："妈，我必须去。

当有人要求救援，我们就得轮

流扮演我们的角色。"汉斯吻了他的母

亲，消失在黑暗中。

又过了一个小时，救援船终于回来了。汉斯站在船头高兴地大声喊："妈，他是我哥保罗。"这故事的结局有些出人意料，却也在情理之中，整个故事是多么令人感动。小汉斯的品质难能可贵，因为他有一颗善良、关爱他人的心灵。

xíng gāo zhě　　míng zì gāo
行 高 者 ， 名 自 高 ，

rén suǒ zhòng　　fēi mào gāo
人 所 重 ， 非 貌 高 。

133

【注释】行高：品行高洁。名：名声。重：敬重。

【译文】如果一个人品行高洁，名声自然就会高起来；人们所敬重的人，主要是因为他们有高尚的品德，而不是因为相貌好看。

晏子使楚

　　yàn zǐ shì chūn qiū shí qī qí guó de xiàng guó　　　dàn zhǎng xiàng hěn
　　晏 子 是 春 秋 时 期 齐 国 的 相 国 ，但 长 相 很

pū tōng　　　yí cì　　qí wáng pài tā chū shǐ chǔ guó　　chǔ wáng tīng shuō
普 通 。一 次 ，齐 王 派 他 出 使 楚 国 ，楚 王 听 说

yàn zǐ lái le　　xiǎng xiū rǔ tā　　yú shì jiù zài chéng qiáng xià kāi le
晏 子 来 了 ，想 羞 辱 他 ，于 是 就 在 城 墙 下 开 了

yí gè yòu dī yòu xiǎo de mén
一 个 又 低 又 小 的 门 。

　　yàn zǐ zhī dào zhè shì chǔ guó rén gù yì
　　晏 子 知 道 这 是 楚 国 人 故 意

xiū rǔ tā　　jiù shuō　　　wǒ shì qián
羞 辱 他 ，就 说 ："我 是 前

lái fǎng wèn de　　zhè shì gǒu dòng　　bú
来 访 问 的 ，这 是 狗 洞 ，不

shì guó mén　　rú guǒ wǒ fǎng wèn de
是 国 门 ，如 果 我 访 问 的

是狗国，我就从这个门进去。”

楚国人一听，马上打开城门让晏子进去了。晏子见到楚王，楚王故意问他：

“齐国没有人了吗，怎么派你来了？”

晏子回答说：“我国派人出访有一个规矩，上等国家派上等的人物，我最不中用，所以就派我到楚国来了。”

楚王听后，觉得晏子很了不起，对他肃然起敬，并马上向他道歉。

cái dà zhě wàng zì dà
才大者，望自大，

rén suǒ fú fēi yán dà
人所服，非言大。

135

【注释】望：名望。言大：自夸自大。

【译文】如果一个人才华过人，名望自然就大；人们佩服一个人，主要是因为他有真正的本领，而不是因为他自夸自大。

司马迁著《史记》

sī mǎ tán rèn tài shǐ lìng tā bó xué shàn wèn céng xiàng táng
司马谈，任太史令。他博学善问，曾向唐

dū xué xí tiān gōng fāng miàn de zhī shi xiàng yáng hé xué xí yì xué fāng
都学习天宫方面的知识，向杨何学习易学方

miàn de zhī shi xiàng huáng zǐ xué xí dào
面的知识，向黄子学习道

xué fāng miàn de zhī shi dāng
学方面的知识。当

shí tā de ér zi sī mǎ qiān
时，他的儿子司马迁

yǐ rèn láng zhōng lín
已任郎中。临

dào qù shì de shí hou
到去世的时候，

sī mǎ tán lā zhe sī
司马谈拉着司

mǎ qiān de shǒu yǎn
马迁的手，眼

含^{hán}热^{rè}泪^{lèi}地^{de}说^{shuō}："我^{wǒ}们^{men}的^{de}祖^{zǔ}先^{xiān}是^{shì}周^{zhōu}朝^{cháo}的^{de}太^{tài}史^{shǐ}官^{guān}，很^{hěn}早^{zǎo}以^{yǐ}前^{qián}就^{jiù}功^{gōng}显^{xiǎn}名^{míng}扬^{yáng}。以^{yǐ}后^{hòu}史^{shǐ}官^{guān}的^{de}地^{dì}位^{wèi}就^{jiù}越^{yuè}来^{lái}越^{yuè}不^{bù}如^{rú}以^{yǐ}前^{qián}了^{le}，难^{nán}道^{dào}会^{huì}在^{zài}我^{wǒ}的^{de}手^{shǒu}中^{zhōng}断^{duàn}绝^{jué}吗^{ma}？你^{nǐ}如^{rú}果^{guǒ}能^{néng}再^{zài}当^{dāng}太^{tài}史^{shǐ}官^{guān}，一^{yí}定^{dìng}要^{yào}继^{jì}承^{chéng}我^{wǒ}们^{men}祖^{zǔ}先^{xiān}的^{de}事^{shì}业^{yè}！"司^{sī}马^{mǎ}迁^{qiān}听^{tīng}了^{le}父^{fù}亲^{qīn}的^{de}话^{huà}，感^{gǎn}动^{dòng}涕^{tì}零^{líng}。司^{sī}马^{mǎ}谈^{tán}死^{sǐ}后^{hòu}三^{sān}年^{nián}，司^{sī}马^{mǎ}迁^{qiān}当^{dāng}上^{shàng}了^{le}太^{tài}史^{shǐ}令^{lìng}。不^{bù}久^{jiǔ}，司^{sī}马^{mǎ}迁^{qiān}却^{què}因^{yīn}为^{wèi}李^{lǐ}陵^{líng}辩^{biàn}护^{hù}激^{jī}怒^{nù}朝^{cháo}廷^{tíng}，遭^{zāo}到^{dào}囚^{qiú}禁^{jìn}和^{hé}宫^{gōng}刑^{xíng}。出^{chū}狱^{yù}以^{yǐ}后^{hòu}，他^{tā}不^{bú}问^{wèn}世^{shì}事^{shì}，发^{fā}愤^{fèn}著^{zhù}书^{shū}，终^{zhōng}于^{yú}完^{wán}成^{chéng}了^{le}划^{huà}时^{shí}代^{dài}的^{de}著^{zhù}作^{zuò}《史^{shǐ}记^{jì}》。

jǐ yǒu néng wù zì sī

己有能，勿自私，

rén yǒu néng wù qīng zǐ

人有能，勿轻訾。

【注释】能：本领。訾：诋毁，怨恨。

【译文】自己有本事，就不要自私，应当出来帮助天下苍生；别人有本事，也不要故意诋毁人家，或者说人家的坏话。

善于辞令

yuán fǔ shì xī jìn shí qī de rén　　zì gōng zhòu　　yuán fǔ zì
袁甫是西晋时期的人，字公胄。袁甫自

yòu qín fèn hào xué yǐ shàn yú cí lìng ér
幼勤奋好学，以善于辞令而

zhù chēng yú xiāng lǐ
著称于乡里。

yǒu yí cì tā yǒu jī huì jiàn dào
有一次，他有机会见到

le zhōng jiāng jūn hé xù biàn duì hé jiāng jūn
了中将军何勖，便对何将军

shuō tā néng gòu zhì lǐ yí gè
说他能够治理一个

fán nán de xiàn hé jiāng jūn
繁难的县。何将军

tīng le wèn dào
听了，问道：

nǐ jǐn jǐn xiǎng zhì lǐ
"你仅仅想治理

一个区区小县吗？为什么不寻求一个像台阁中一样的比较高的官职呢？”

袁甫说：“每一个人具有的才能和别人是不同的。对同一个人来说，有的事他能够办成，而有的事他就办不成。英明的君主用人必须先了解这个人的特殊才能，然后才能根据这特殊的才能授予合适的职位。”何勖认为袁甫说的话非常有道理，便任命他做了一名县丞。

wù chǎn fù   wù jiāo pín
勿谄富，勿骄贫，

wù yàn gù   wù xǐ xīn
勿厌故，勿喜新。

139

【注释】勿谄富，勿骄贫：《礼记·坊记》："小人贫斯约，富斯骄，约斯盗，骄斯乱。"故：旧的。

【译文】不要讨好家境富裕的人，也不要看不起家境贫寒的人；不要喜新厌旧，这些都是不好的品质。

救济穷困

sān guó de shí hou   yǒu gè rén jiào quán cóng   quán cóng de fù
　　三国的时候，有个人叫全琮。全琮的父

qīn míng zi jiào quán róu   quán róu yǒu yí duàn shí jiān chū rèn hú nán guì
亲名字叫全柔，全柔有一段时间出任湖南桂

yáng   jīn hán xiàn   tài shǒu   tā ràng zì jǐ de ér zi huí jiā shí
阳（今郴县）太守。他让自己的儿子回家时

dài shàng shù qiān hú dà mǐ   dào jiāng zhè
带上数千斛大米，到江浙

yí dài chū shòu
一带出售。

quán cóng bǎ mǐ yùn dào jiāng zhè hòu
　　全琮把米运到江浙后，

kàn dào dāng dì yǒu hěn duō pín hán zhī
看到当地有很多贫寒之

rén   yú shì jiāng mǐ quán bù zhèn jì le
人，于是将米全部赈济了

穷苦人。全柔知道这件事后非常恼火。全琮见状，连忙跪在地上，边磕头边说："我觉得做这笔买卖，把米卖掉，并不是什么急迫的事。而那里有太多的人在忍饥挨饿，他们需要我们的帮助。"

全柔听了以后，觉得儿子全琮不仅有超人的才智，而且有着高尚的品格，于是对他更加器重。当时中原大乱，其中归附全琮的人数以万计。全琮照旧拿出所有的财产救济这些无家可归的人，并且与他们同甘共苦。

从此，全琮的名字传播四方，其怜悯穷弱、救济穷困的好名声也为人称赞。

rén bù xián　wù shì jiǎo
人 不 闲 ， 勿 事 揽 ；

rén bù ān　wù huà rǎo
人 不 安 ， 勿 话 扰 。

【注释】安：情绪稳定。扰：打扰。

【译文】当别人正忙着做事没有空闲时，不要因为自己的事打扰别人；当别人心情不好时，也不要□□唆唆对别人说个没完。

礼的作用

gǔ shí hòu　wǔ tái shān xià yǒu gè shí líng guān cūn　cūn li yǒu
古 时 候 ， 五 台 山 下 有 个 石 岭 关 村 ， 村 里 有

yí gè juè lǎo tóu　xìng gěng　gěng dà yé wéi rén rè xīn dà fāng
一 个 倔 老 头 ， 姓 耿 。 耿 大 爷 为 人 热 心 大 方 。

yǒu yí cì　gěng dà yé zài tián zhōng láo zuò　zhè shí　yí gè
有 一 次 ， 耿 大 爷 在 田 中 劳 作 。 这 时 ， 一 个

nián qīng de xiǎo huǒ zi guò lái chòng zhe gěng dà yé jiù hǎn　　guā dì
年 轻 的 小 伙 子 过 来 冲 着 耿 大 爷 就 喊 ："刮 地

lǎo　hú lú shān zěn me zǒu　　gěng dà yé yì tīng xīn li jiù lái
佬 ， 葫 芦 山 怎 么 走 ？"耿 大 爷 一 听 心 里 就 来

le huǒ　wèn dào　　nǐ yào dào nǎ lǐ
了 火 ， 问 道 ："你 要 到 哪 里 ？"

xiǎo huǒ zi jiù dà hǒu qǐ lái　　āi ya　wǒ dào hú lú shān
小 伙 子 就 大 吼 起 来 ："哎 呀 ， 我 到 葫 芦 山

gǔ　　gěng dà yé bǎ　hú lú shān gǔ　tīng chéng huǒ lú shān gǔ
谷 ！"耿 大 爷 把"葫 芦 山 谷"听 成"火 炉 山 谷"，

就让他往西去。

太阳快落山的时候，小伙子又回来了，气喘吁吁地说："你怎么指路让我去了火炉山谷？"老耿头摸摸头皮，说："只怪耳朵不好使，没听清楚。"小伙吃了亏，忽然醒悟，他对耿大爷说："老伯，是我态度不好！"

耿大爷见小伙认错态度真诚，忙说："葫芦山谷往东，不太远，翻一座山就到了。"

小伙子连忙站了起来，向耿大爷施礼。老耿头忙阻止："何必施此大礼？"

小伙子说："哎！只为问路不施礼，便多走了四十里啊！"

rén yǒu duǎn   qiè mò jiē
人有短，切莫揭；
rén yǒu sī   qiè mò shuō
人有私，切莫说。

143

【注释】短：缺点。私：隐私。

【译文】别人有缺点和短处，千万不要随便去揭露；别人有隐私，千万不要任意去宣传。

桃花源

yǒu yí gè yú fū   huá zhe tā de xiǎo chuán   shùn zhe xī liú qián
有一个渔夫，划着他的小船，顺着溪流前
jìn   bù zhī bù jué   lái dào le yí zuò táo huā lín
进，不知不觉，来到了一座桃花林。

xiǎo chuán chuān guò le táo lín   yíng miàn shì yí zuò shān   shān xià yǒu
小船穿过了桃林，迎面是一座山，山下有
yí gè xiá xiǎo de shān dòng   yuán lái zhè er zhèng shì xī liú de yuán tóu
一个狭小的山洞，原来这儿正是溪流的源头。

yú fū cóng shān dòng zhōng chuān le jìn qù   yì chū shān dòng jìng rán
渔夫从山洞中穿了进去。一出山洞竟然
shì lìng yì fān tiān dì
是另一番天地。

nà er yǒu zhěng qí de cūn shè   féi wò de nóng tián   nán nǚ lǎo
那儿有整齐的村舍，肥沃的农田，男女老
shào dōu shēng huó de shí fēn xìng fú   tā men jiàn le yú fū   biàn yāo
少都生活得十分幸福。他们见了渔夫，便邀
qǐng tā dào cūn li qù   shā jī zuò fàn rè qíng zhāo dài
请他到村里去，杀鸡做饭热情招待。

cūn zhōng de rén men
村中的人们

gào su yú fū tā men de zǔ xiān wèi le
告诉渔夫：他们的祖先，为了

duǒ bì qín cháo shí de zhàn luàn cái lái dào zhè lǐ ān
躲避秦朝时的战乱才来到这里，安

jiā luò hù shì dài xiāng chuán shí jiān cháng le jiù yǔ wài jiè wán quán
家落户，世代相传，时间长了就与外界完全

duàn jué le lái wǎng
断绝了来往。

suǒ yǐ tā men gēn běn bù zhī dào xiàn zài dōu yǐ jīng shì jìn cháo
所以他们根本不知道现在都已经是晋朝

le cūn zhōng de rén jiā lún liú kuǎn dài tā yú fū zhù le hǎo jǐ
了。村中的人家轮流款待他，渔夫住了好几

tiān cái gào cí huí jiā
天，才告辞回家。

lín bié shí cūn zhōng de rén men zài sān dīng zhǔ bú yào bǎ táo
临别时，村中的人们再三叮嘱，不要把桃

huā yuán de shì gào su gěi wài miàn de rén
花源的事告诉给外面的人。

kě shì yú fū huí qù hòu hái shì duì bié rén shuō le zhè xiē
可是，渔夫回去后，还是对别人说了这些

shì hěn duō rén tīng shuō zhī hòu dōu xiǎng qù zhǎo zhè yì fāng táo yuán
事，很多人听说之后，都想去找这一方桃源

lè tǔ dàn zuì zhōng hái shì méi yǒu zhǎo dào
乐土，但最终还是没有找到。

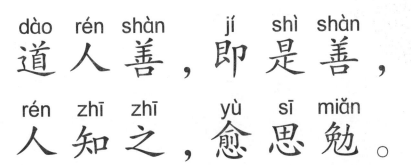

dào rén shàn   jí shì shàn
道 人 善 ， 即 是 善 ，

rén zhī zhī   yù sī miǎn
人 知 之 ， 愈 思 勉 。

【注释】道人善，即是善：《礼记·坊记》："善则称君，过则称己，则民作忠。……善则称亲，过则称己，则民作孝。"愈：更加。

【译文】称赞别人的美德，也是一种美德；别人听到你这样称赞他，就会愈加勉励自己。

齐白石的教育方法

qí bái shí shì wǒ guó jié
齐白石是我国杰

chū de shū huà jiā zhuàn kè jiā
出的书画家、篆刻家。

yí cì qí bái shí shàng
一次，齐白石上

kè shí yí wèi jiào xiè shí ní
课时，一位叫谢时尼

de xué shēng huà le yì zhāng méi
的学生画了一张"梅

jī de huà gǎo bì gōng bì
鸡"的画稿，毕恭毕

jìng de xiàng tā qǐng jiào bái
敬地向他请教。白

石先生看了又看，说："你画的鸡实在太有味了，请借给我回去临摹一张好吗？"那学生惊呆了，中外著名的艺术大师这么赏识他的画作，这简直太令人鼓舞了。

第二天上课时，白石先生手捧一张临摹的画，竟然向谢时尼征求意见："你看我临摹得有什么不合适的地方吗？"并表示愿意用此画与学生的画稿交换。谢时尼十分感动。

白石老人不愧为一名好老师，他的鼓励与称赞的教育方式也富有成效，因此，在他的学生中出了很多有名的画家。

扬人恶，即是恶，
yáng rén è jí shì è

疾之甚，祸且作。
jí zhī shèn huò qiě zuò

147

【注释】扬：张扬。且：将会。

【译文】张扬别人的恶行，说别人的坏话，也是一种恶行；一味地痛恨别人，就会招来祸端。

因骂致祸

灌夫是汉朝的一名将军，勇猛善战，嫉恶如仇。他有一个缺点，就是脾气太直，说话不分场合，不讲究方式。他和当时的丞相隔阂很大，有一次，在丞相的婚宴上，灌夫因为一杯酒，和丞相吵起来，于是就把丞相平时所做的坏事都说了出来，以至于搅散了宴会。丞

相是皇上
的舅父，当然不
会放过他，最后灌夫被
捕处死。别人做了坏事，不
是说不要和他斗争，但斗争要讲究
方式，注意策略，光凭一时的意气，贸
然行事，是不会有好结果的。

shàn xiāng quàn　　dé jiē jiàn
善相劝，德皆建；

guò bù guī　　dào liǎng kuī
过不规，道两亏。

【注释】相劝：相互规劝。建：提高和完善。

【译文】好友之间相互规劝，力尽善行，双方的品德都会得到提高和完善；如果朋友有过错，却不加规劝，双方的品德都会有所亏损。

择善友的重要

chǔ guó yǒu yí gè shàn yú xiàng shù de
楚国有一个善于相术的

rén　　pàn duàn rén de shàn è jí xiōng cóng lái
人，判断人的善恶吉凶从来

méi yǒu shī guò shǒu　shēng míng hěn gāo
没有失过手，声名很高。

chǔ zhuāng wáng tīng shuō zhè ge qí rén　jiù
楚庄王听说这个奇人，就

zhào jiàn tā　wèn tā yǒu shén me mì jué　tā
召见他，问他有什么秘诀，他

shuō　wǒ bìng méi yǒu duō me gāo míng de mì
说："我并没有多么高明的秘

jué　gěi rén kàn xiàng　wǒ zhǐ bú guò shì shàn yú guān
诀，给人看相，我只不过是善于观

chá tā de péng yǒu bà le　kàn pǔ tōng de píng mín bǎi
察他的朋友罢了。看普通的平民百

姓，如果他
的朋友都孝悌忠厚，
谨守法令，那么他的家业一
定越来越兴旺，日子也会越过越
舒坦。看做官的人，如果他的朋友都
忠实可靠，品德高尚，力尽善行，那
么他办事一定越来越顺利，官职也会越升越
高。"可见，择善友是多么的重要。

fán qǔ yǔ guì fēn xiǎo
凡取与，贵分晓，

yǔ yí duō qǔ yí shǎo
与宜多，取宜少。

151

【注释】取与：索取和给予。分晓：轻重。

【译文】索取和给予两者要分清轻重，给予和奉献的应当多一些，而索取应当少一些。

柳青与《创业史》

liǔ qīng shì wǒ guó dāng dài zhù míng zuò jiā tā wài biǎo píng fán
柳青是我国当代著名作家。他外表平凡，

chuān zhuó zhì pǔ bú shàng róng huá bú lùn shì shéi chū cì yǔ tā
穿着质朴，不尚荣华。不论是谁，初次与他

xiāng jiàn dōu huì gé wài guān zhù tā nà shuāng jiǒng jiǒng yǒu shén de yǎn jing
相见，都会格外关注他那双炯炯有神的眼睛。

cóng zhè shuāng míng mù zhōng rén men dōu
从这双明目中，人们都

huì gǎn dào tā de nèi xīn shì jiè
会感到他的内心世界。

yǒu yì tiān tā hé xiāng dǎng wěi
有一天，他和乡党委

shū jì dǒng tíng zhī tán wán le gōng zuò
书记董廷枝谈完了工作，

lǎo dǒng gāng yào chū mén jiù bèi tā
老董刚要出门，就被他

yì bǎ lā zhù le
一把拉住了。

老董很惊奇，不解地看着他，他却非常从容地说："你去和别的几位干部商量一下，看看这点小意思能为大家做些什么事。"

老董瞧了瞧那张纸，呵！原来是一张汇款单，一张一万六千多元的汇款单！这是柳青写《创业史》第一部的全部稿酬。他非常激动地对柳青说："这怎么行呢！柳书记，难道你就一点不留吗？"

听到老董的话，柳青笑了。

他对老董说："你瞧，这是多么合理的事情，取之于民，用之于民嘛！"

后来，老董代表全乡接受了这笔钱，也接受了柳青同志对人民的真诚心意，并把那笔钱全部用之于民。柳青同志写《创业史》耗尽心血，却把得到的稿费全部赠给人民群众。这种只讲奉献、不图名利的精神，令人敬佩。

jiāng jiā rén　xiān wèn jǐ

将 加 人 ， 先 问 己 ，

jǐ bú yù　jí sù yǐ

己 不 欲 ， 即 速 已 。

154

【注释】己不欲：《论语·颜渊》："己所不欲，勿施于人。在邦无怨，在家无怨。"已：停止。

【译文】在打算怎样要求别人之前，应当先问问自己；如果自己都不愿去做，就应当马上停止要求别人。

曹操的宽容

dōng hàn mò nián　cáo cāo zài hé
东汉末年，曹操在和

yuán shào zuò zhàn shí　chù yú xià fēng
袁绍作战时，处于下风，

tā de xǔ duō bù xià duì shèng
他的许多部下对胜

lì méi yǒu xìn xīn　dōu hé
利没有信心，都和

yuán shào jìn xíng lián luò　yǐ
袁绍进行联络，以

fáng cáo cāo shī bài hòu zì jǐ
防曹操失败后自己

hǎo yǒu gè chū lù　hòu lái
好有个出路。后来

jīng guò guān dù zhī zhàn　cáo
经过官渡之战，曹

操打败了袁绍，从袁绍那里缴获了这些书信，曹操看也不看，就让人烧毁了。有人问曹操，为什么不查查是哪些人和袁绍勾结。曹操说："这些跟我打仗的人谁没有家庭儿女，谁在绝望时也会找出路。当时，我也没有信心，何况他们？所以，不能去追问了。"曹操在这里遵循了推己及人的原则。当时连自己都没有信心，怎么去要求别人呢！

155

ēn yù bào　 yuàn yù wàng
恩 欲 报 ，怨 欲 忘 ，

bào yuàn duǎn　 bào ēn cháng
报 怨 短 ，报 恩 长 。

【注释】恩：恩惠。欲：要，应该。

【译文】得到别人的恩惠，就要想方设法去报答，而和别人结怨就要想方设法去忘掉。报怨要短时而过，报恩应长记不忘。

知恩图报

liú bāng wèi le kuò dà shì lì 　 gōng dǎ hé
刘邦为了扩大势力，攻打河

nán běi bù 　 tú jīng yáng wǔ xiàn shí 　 yǒu gè jiào
南北部。途经阳武县时，有个叫

zhāng cāng de rén tóu bèn jūn zhōng 　 hòu yòu suí jūn guò
张苍的人投奔军中，后又随军过

le huáng hé 　 gōng dǎ nán yáng 　 zhè shí zhāng cāng bù
了黄河，攻打南阳。这时张苍不

jīng yì chù fàn le jūn fǎ 　 yī jù qíng jié 　 yīng
经意触犯了军法，依据情节，应

dāng chǔ yǐ sǐ xíng 　 xíng xíng de shí hou
当处以死刑。行刑的时候，

zhāng cāng tuō qù le yī fu 　 chì luǒ zhe shēn
张苍脱去了衣服，赤裸着身

zi pā zài le xíng jù shang 　 liú bāng de dà
子趴在了刑具上。刘邦的大

jiàng wáng líng yí jiàn dùn shēng ài lián 　 jué de
将王陵一见顿生爱怜，觉得

这是一员干将，杀了实在是可惜，就劝刘邦说："这个人应当被赦免！"刘邦采纳了王陵的建议，立即将张苍释放了。

张苍后来做了很大的官，从御史大夫一直做到了宰相。不过他没有一天不感激王陵，待他就像自己的再生父亲一样。王陵去世后，张苍对王陵的家人更为关照。每逢斋戒沐浴之后，他第一个拜访的就是王陵夫人，只有看着王陵夫人把饭吃好，自己才敢告辞。

dài bì pú shēn guì duān
待婢仆，身贵端，

suī guì duān cí ér kuān
虽贵端，慈而宽。

【注释】待婢仆：《礼记·儒行》："温良者，仁之本也。敬慎者，仁之地也。宽裕者，仁之作也。"端：端庄，端正。

【译文】对待婢女和仆人，要注意用自身的品德让他们畏服，即使做到了这些，还应当用仁慈、宽厚的态度对待他们。

宽厚的长者

jīn dài yǒu gè rén míng zi jiào
金代有个人，名字叫

hán fǎng rén cí kuān hòu céng jīng zuò
韩昉，仁慈宽厚，曾经做

guò kāi fǔ yí tóng sān sī de guān
过开府仪同三司的官。

yǒu yí cì hán fǎng jiā li gù
有一次，韩昉家里雇

yòng le yì míng jiā pú bù zhī shén
用了一名家仆，不知什

me yuán yīn zhè ge jiā pú tū rán
么原因，这个家仆突然

wū gào hán fǎng shuō hán fǎng ràng yǒu
诬告韩昉，说韩昉让有

zuì de fàn rén qí zhe zì jǐ de mǎ
罪的犯人骑着自己的马

逃出国境了。

官府经过认真的调查了解，确定此事纯属子虚乌有，于是官府就把这名家仆交给了韩昉，听由他亲自处置。

然而，韩昉没有对这名家仆进行处置，还和以前一样对他。这让很多人不解。有人问他为什么这样对待那个下贱的小人。韩昉说："他编造谎言，诬陷自己的主人，其目的就是想立功，借以改变自己作为奴仆的地位，这有什么值得奇怪的呢？"当时的人们听说后，全都称赞韩昉是宽厚的长者。

shì fú rén， xīn bù rán，
势服人，心不然，

lǐ fú rén， fāng wú yán
理服人，方无言。

【注释】然：对，这里指以为然。无言：心服口服。

【译文】以权势服人，别人表面上做出服从的样子，但内心并不真的服气；如果用道理说服人，别人自然会心服口服。

周厉王的下场

zhōu lì wáng shì xī zhōu de mò dài jūn
周厉王是西周的末代君

wáng tā shēng xìng bào nüè wú dào guó rén yīn
王。他生性暴虐无道，国人因

ér duì tā yǒu zhū duō de fēi yì
而对他有诸多的非议。

zhōu lì wáng biàn pài wèi wū
周厉王便派卫巫

jiān shì bǎi xìng de yán xíng yù
监视百姓的言行，遇

dào yǒu fěi bàng guó jūn de jiù
到有诽谤国君的，就

yǐ sǐ zuì lùn chù zhào gōng
以死罪论处。召公

jiàn zhuàng shēn wéi bù ān biàn
见状，深为不安，便

用"防民之口甚于防川"的道理加以规劝，谁知周厉王不听劝告，继续我行我素。不仅如此，他还宠信奸臣荣夷公，横征暴敛，祸害百姓。

周厉王听信荣夷公，下令圈围山泽，不允许任何人进入山泽之中从事采集和渔猎活动，凡是违禁之人，定要受到严重的刑罚。

周厉王的种种恶行使百姓失去了生存的根本，民怨四起，诸侯也不再效忠于周室。周厉王企图以势压服国人，不料最终众叛亲离，落得了被百姓流放的悲惨下场。

tóng shì rén　　lèi bù qí
同是人，类不齐，

liú sú zhòng　　rén zhě xī
流俗众，仁者稀。

162

【注释】不齐：不相同。仁者：品德高尚的人。

【译文】同是在世上做人，但品德高下却不尽相同，品德一般的俗人太多了，而品德高洁的仁人又太少了。

孔子的业绩

shǐ jì jì zǎi　　lǔ guó cóng dà fū yǐ xià de rén dōu piān
《史记》记载：鲁国从大夫以下的人都偏

lí zhèng dào　　pǐn xíng bù duān　　yīn cǐ kǒng zǐ méi yǒu chū rèn guān zhí
离正道，品行不端，因此孔子没有出任官职，

zài jiā zhōng qián xīn xiū zhuàn gǔ shū diǎn jí　　dì zǐ yuè lái yuè duō
在家中潜心修撰古书典籍，弟子越来越多。

kǒng zǐ shēng huó de shí
孔子生活的时

dài　　qià féng zhōu wáng shì shì
代，恰逢周王室势

lì shuāi wēi　　lǐ yí zhì dù
力衰微，礼仪制度

suí zhī bēng kuì zhī shí　　shī
随之崩溃之时。《诗

jīng　　shàng shū děng gǔ dài diǎn jí yě
经》、《尚书》等古代典籍也

yǒu suǒ quē sǔn　　kǒng zǐ biàn zhuī sù hé tàn jiū xià
有所缺损。孔子便追溯和探究夏、

商、周三代的礼仪制度，为《尚书》作序、作注释。孔子编旧书而录文明，创私学而传六艺，立新学而惠后世。孔子功高盖世，无人能比。孔子所创立的儒家学说对后世影响深远，为整个中华民族整体性格的养成和中华文化的成型作出了不可磨灭的贡献。

guǒ rén zhě　rén duō wèi
果仁者，人多畏，

yán bú huì　sè bú mèi
言不讳，色不媚。

164

【注释】果仁者，人多畏：《论语·子张》："子夏曰：'君子有三变：望之俨然，即之也温，听其言也厉。'"讳：忌讳。

【译文】果真是品行高洁的人，人们自然都敬重他；这人说话时不会有忌讳，也不会去讨好巴结别人。

诗仙李白

lǐ bái shì táng cháo yǒu míng de shī rén　　bèi zūn chēng wéi shī
李白是唐朝有名的诗人，被尊称为"诗
xiān　 lǐ bái lái dào jīng shī cháng ān　 xuán zōng jiàn tā qì yǔ xuān
仙"。李白来到京师长安，玄宗见他气宇轩
áng bù tóng fán rén jiā fēng hàn lín dài zhào
昂，不同凡人，加封"翰林待诏"。

yǒu yí cì lǐ bái fèng zhào wèi xuán zōng qǐ cǎo zhào wén dāng
有一次，李白奉诏为玄宗起草诏文。当
shí tā hē dé yǒu xiē zuì yì　zhèng zhǔn bèi luò bǐ qǐ cǎo zhào wén
时他喝得有些醉意，正准备落笔起草诏文，
tái yǎn zhèng kàn dào shēn páng bù nán bù nǔ de huàn guān gāo lì shì yú
抬眼正看到身旁不男不女的宦官高力士，于
shì qǐ zòu xuán zōng shuō chén zhè zhuāng shù hěn shòu yuē shù yǒu ài
是启奏玄宗说："臣这装束，很受约束，有碍
chén jìn qí suǒ néng xuán zōng huí dá shuō nǐ suí biàn xiē bù fáng
臣尽其所能。"玄宗回答说："你随便些不妨！"

李白便扯掉了帽子，脱下皮袍，提笔就要上御榻。此时他好像才发现靴子还没有脱掉，于是，他顺势抬脚，对旁边的高力士说："劳驾，请帮我把靴子脱掉！"

高力士一愣，心中不免有些恼怒。他本想玄宗能出言制止，谁料玄宗并没出声，高力士就是胆大包天也不敢再说什么，只好屈下双腿，帮李白脱下了靴子。

李白对御用文人的生活日渐厌恶，加上有高力士、杨贵妃等颠倒黑白，因此，李白不久就离开了长安。

néng qīn rén　wú xiàn hǎo
能亲仁，无限好，

dé rì jìn　guò rì shǎo
德日进，过日少。

166

【注释】亲仁：亲近品行高洁的人。无限好：有着无限的好处。日进：一天天得到提高。

【译文】能够亲近品行高洁的人，有着无限的好处，品德会因此一天天得到提高，过错会因此一天天减少。

亚圣孟子

yà shèng mèng zǐ shēng huó zài wǒ guó lì shǐ shang shè huì zuì wèi dòng
亚圣孟子生活在我国历史上社会最为动
dàng hùn luàn de zhàn guó shí qī　shēn chǔ zhàn luàn zhī zhōng　mèng zǐ yòng
荡混乱的战国时期。身处战乱之中，孟子用
xīn xué xí kǒng zǐ zhī dào　jì chéng le rú xué de jīng suǐ
心学习孔子之道，继承了儒学的精髓。

wèi le tuī xíng rén zhèng　mèng zǐ xiào fǎng kǒng zǐ shuài dì zǐ zhōu
为了推行仁政，孟子效仿孔子率弟子周
yóu liè guó　yóu shuì zhū hóu　bú liào hé kǒng zǐ yí yàng sì chù pèng
游列国，游说诸侯，不料和孔子一样四处碰
bì　ér téng wén gōng què shì tā suǒ yù dào de yí gè lì wài
壁，而滕文公却是他所遇到的一个例外。

téng wén gōng zuò tài zǐ shí　gēn suí lǎo shī hé péng yǒu chū shǐ
滕文公作太子时，跟随老师和朋友出使
chǔ guó　tú jīng sòng guó　tīng shuō mèng zǐ zhèng zài sòng dōu péng chéng biàn
楚国，途经宋国，听说孟子正在宋都彭城，便

急忙去拜
jí máng qù bài

见，滕太子文雅的举
jiàn téng tài zǐ wén yǎ de jǔ

止和不凡的谈吐也给孟子留下了
zhǐ hé bù fán de tán tǔ yě gěi mèng zǐ liú xià le

良好的印象。在彭城逗留期间，太子虚心
liáng hǎo de yìn xiàng zài péng chéng dòu liú qī jiān tài zǐ xū xīn

求教，孟子也极热情地给他讲解"人性本善"
qiú jiào mèng zǐ yě jí rè qíng de gěi tā jiǎng jiě rén xìng běn shàn

和"尧舜之道"。二人经常促膝交谈至深夜。
hé yáo shùn zhī dào èr rén jīng cháng cù xī jiāo tán zhì shēn yè

一个月后，滕太子出使归来，带着一系列
yí gè yuè hòu téng tài zǐ chū shǐ guī lái dài zhe yí xì liè

问题又重访孟子。孟子综合了他的各种困
wèn tí yòu chóng fǎng mèng zǐ mèng zǐ zōng hé le tā de gè zhǒng kùn

惑，并分析他的人性弱点，加以勉励。
huò bìng fēn xī tā de rén xìng ruò diǎn jiā yǐ miǎn lì

滕太子和孟子的这段友谊，是一段历史
téng tài zǐ hé mèng zǐ de zhè duàn yǒu yì shì yí duàn lì shǐ

美谈。滕文公正是由于结交了孟子这样的大
měi tán téng wén gōng zhèng shì yóu yú jié jiāo le mèng zǐ zhè yàng de dà

仁大义的大学问家，自己的品德和才学也得
rén dà yì de dà xué wèn jiā zì jǐ de pǐn dé hé cái xué yě dé

以不断提高！
yǐ bú duàn tí gāo

弟 子规
DI ZI GUI

bù qīn rén   wú xiàn hài
不亲仁，无限害，

xiǎo rén jìn   bǎi shì huài
小人进，百事坏。

168

【注释】小人：品质恶劣的人。坏：办坏。

【译文】不亲近品行高洁的人，对自身有无限的坏处；如果品质恶劣的人靠近你，什么事都会办坏。

选择交友

sān guó de shí hòu   yǒu gè jiào liú yì de rén   liú yì de dì
　三国的时候，有个叫刘廙的人。刘廙的弟
dì liú wěi tóng wèi fěng de guān xì fēi tóng yì bān liǎng rén kān chēng tiě
弟刘伟同魏讽的关系非同一般，两人堪称铁
gē men er
哥们儿。

liú yì zhēn chéng dì gào jiè dì di   jiāo yǒu de zuì gāo mù dì
　刘廙真诚地告诫弟弟："交友的最高目的
zài yú dé dào yì xiē yǒu xián néng de rén cái   yīn cǐ duì zhōu wéi de
在于得到一些有贤能的人才。因此对周围的
rén shì fǒu zhí dé jié jiāo   bì xū jìn xíng zhōu xiáng de kǎo chá   rán
人是否值得结交，必须进行周详的考察。然
ér yì bān rén jiāo péng yǒu què bìng bù kǎo lǜ zhè xiē   zhǐ yào shì hé
而一般人交朋友却并不考虑这些，只要是和
tā zì jǐ xiǎng fǎ yí zhì   biàn bú lùn xián yú shàn è dōu yú yǐ jié
他自己想法一致，便不论贤愚善恶都予以结

交。这种交友的方法，其危害是相当大的。它不仅违反了先圣们关于一个人如何交友的教诲，而且也不是自己修身养性、彰显仁义的方法。我看魏讽这个人从不注意修养自己的品德言行，道德低下，喜好结交一些不三不四的人，是一个华而不实、沽名钓誉的家伙。你应该懂得谨慎从事，不要再同他交往了！"

刘伟并不听从哥哥的规劝，继续和魏讽来往，后来果然因为魏讽而招致了十分大的灾祸，后悔莫及。

bú lì xíng　dàn xué wén

不力行，但学文，

zhǎng fú huá　chéng hé rén

长浮华，成何人？

【注释】不力行：《中庸》："好学近乎知，力行近乎仁，知耻近乎勇。知斯三者，则知所以修身，知所以修身，则知所以治人。知所以治人，则知所以治天下国家矣。"力行：埋头苦干。长：增长。

【译文】只知道死啃书本，却不知道身体力行，亲身实践，长此以往，只能使自己华而不实，怎么会使自己有什么出息呢？

纸上谈兵

zhào shē hé lián pō dōu shì zhàn guó shí dài zhào guó de míng jiàng
赵奢和廉颇都是战国时代赵国的名将。

yǒu yí cì　qín guó yòu pài jūn jìn fàn　nà shí hòu zhào shē
有一次，秦国又派军进犯。那时候，赵奢

yǐ jīng qù shì lián pō yě yǐ lǎo tài lóng zhōng
已经去世，廉颇也已老态龙钟。

lián pō fù zé zhǐ huī quán jūn　cǎi qǔ le chí jiǔ zhàn de zuò
廉颇负责指挥全军，采取了持久战的作

zhàn fāng shì　qín jūn shēn zhī lián pō jiāng jūn shēn móu yuǎn lǜ　jiù sì
战方式。秦军深知廉颇将军深谋远虑，就四

chù sàn bù yáo yán　shuō　qín jūn qí shí zuì pà de shì zhào kuò
处散布谣言，说："秦军其实最怕的是赵括，

bié de zhào jūn jiàng lǐng yí gài méi fàng zài xīn shàng
别的赵军将领一概没放在心上。"

这时赵
国国君正因为廉
颇没能速战速决而颇为
不满，听了如此谣言，信以为
真，便派赵括去代替廉颇。赵括熟
读兵书，但只会纸上谈兵。

　　然而，赵国国君决定起用赵括。秦军便
设计先截断了赵军的运粮后路，把赵军包围
了，围困长达四十多天。

　　粮草断绝，赵括只好突围，却被秦军一箭
射死，四十多万的赵国大军全军覆没。

dàn lì xíng　　bù xué wén
但力行，不学文，

rèn jǐ jiàn　　mèi lǐ zhēn
任己见，昧理真。

【注释】但力行：《礼记·学记》："玉不琢，不成器，人不学，不知道。是故古之王道，建国君民，教学为先。"任：凭着。昧：昏暗。

【译文】只知道埋头苦干，不知道学习文化知识，只凭着自己浅陋的见识，永远不会通晓真正的道理。

狂妄自大

míng cháo wàn lì nián jiān　　yǒu gè jiào mǎ shào liáng de guān yuán fēi
明朝万历年间，有个叫马绍良的官员，非

cháng gāo ào zì fù　　yì tiān huáng shang ràng tā jìn gōng shǎng shī mǎ
常高傲自负。一天，皇上让他进宫赏诗。马

shào liáng bù zhī dào zhè shì huáng shang de shī zuò dàn jiàn qí zhōng yǒu liǎng
绍良不知道这是皇上的诗作，但见其中有两

jù shì míng yuè shàng gān jiào huáng quǎn sù huā ruǐ jiù bù jiǎ sī
句是"明月上竿叫，黄犬宿花蕊"，就不假思

suǒ de shuō cǐ shī bù tōng
索地说："此诗不通。"

mǎ shào liáng ná qǐ zhū shā bǐ lái shuā shuā shuā jiāng liǎng jù
马绍良拿起朱砂笔来，"刷刷刷"将两句

shī gǎi le liǎng gè zì yuán xiān de shī jù biàn chéng le míng yuè shàng
诗改了两个字，原先的诗句变成了"明月上

竿照，黄犬宿花荫。"

皇上看了，微微一笑，将马绍良官降三级，贬到福建漳州任太守。

马绍良只得离京赴任。这天，他走到福建南部一座山岭下停脚休息时，见花蕊中有一条黄绒绒、胖乎乎的小虫。他问轿夫："这是什么虫子？"轿夫告诉他，那叫黄犬虫，习惯往花蕊里钻。到了傍晚，马绍良住了山中一处客店，忽然天上传来鸟儿悦耳的鸣叫声，他忙向店主询问，得知那是明月鸟，它们月上中天才开始叫。马绍良听了，恍然大悟。

马绍良年逾古稀，方复官归乡，他特别悔恨自己年轻时的狂妄自大。

dú shū fǎ　　yǒu sān dào
读书法，有三到，

xīn yǎn kǒu　　xìn jiē yào
心眼口，信皆要。

【注释】读书法，有三到：宋·朱熹《训学斋规》："余尝谓读书有三到，谓：心到，眼到，口到。……三到之中，心到最紧。心既到矣，眼口岂不到乎？"信：确实。

【译文】读书的方法，讲究三到，即心到，眼到，口到。心到就是用心去想，眼到就是仔细去看，口到就是专心去读。这三条确实都很必要。

三顾茅庐

liú bèi zhù jūn zài xīn yě　　sī mǎ huī hé xú shù dōu xiàng tā
刘备驻军在新野，司马徽和徐庶都向他
tuī jiàn zhū gě liàng shuō tā kě yǐ bāng liú bèi píng dìng tiān xià
推荐诸葛亮，说他可以帮刘备平定天下。

liú bèi biàn dài zhe guān yǔ hé zhāng fēi qù bài jiàn zhū gě liàng
刘备便带着关羽和张飞去拜见诸葛亮。
tā men fān shān yuè lǐng zhōng yú zhǎo dào le zhū gě liàng jū zhù de dì
他们翻山越岭，终于找到了诸葛亮居住的地
fāng kě shì zhū gě liàng bú zài jiā chū qù yóu wán qù le tā
方，可是诸葛亮不在家，出去游玩去了。他
men sān gè rén zài mén wài děng le hěn cháng shí jiān hái bú jiàn zhǔ rén
们三个人在门外等了很长时间，还不见主人
huí lái jiù chuí tóu sàng qì de huí qù le
回来，就垂头丧气地回去了。

过了一些日子，他们又来了。没想到一问童子，才知道先生又到外面游玩去了。

张飞气得直跺脚，他说："把诸葛亮抓到营地不就行了吗？"刘备批评了他，三人又回去了。

又一天，大雪纷纷，天气很冷，他们三人又来拜访了，可是诸葛亮正在家睡大觉呢。刘备怕惊扰了他，就在门外等。过了好久，三个人都快冻僵了，终于等到诸葛亮醒了。诸葛亮看他们在门外等了那么长时间，可谓有诚心和敬意，就把他们迎了进来。此后，诸葛亮为刘备出谋划策，打了不少胜仗。

fāng dú cǐ ， wù mù bǐ ，
方 读 此 ， 勿 慕 彼 ，

cǐ wèi zhōng bǐ wù qǐ
此 未 终 ， 彼 勿 起 。

【注释】方：正在。慕：想着。

【译文】正在读这本书的时候，不要心想着别一本书；这一本书没有读完，就不要开始读另一本书。

脚踏实地

dèng zǐ chéng shì yí wèi shǐ xué jiā zì wén rú hào míng zhāi
邓 子 诚 是 一 位 史 学 家 ，字 文 如 ，号 明 斋 。

dèng zǐ chéng zǎo nián bì yè yú yún nán liǎng jí shī fàn xué táng
邓 子 诚 早 年 毕 业 于 云 南 两 级 师 范 学 堂 。

nián hòu rèn xīn chén bào zǒng biān shù
1917 年 后 ，任《新 晨 报》总 编 数

nián hòu xiān hòu rèn běi jīng dà xué běi jīng shī fàn
年 ，后 先 后 任 北 京 大 学 、北 京 师 范

dà xué yān jīng dà xué jiào shòu
大 学 、燕 京 大 学 教 授 。

cóng nián qǐ dèng zǐ chéng jiù qián xīn shū
从 1930 年 起 ，邓 子 诚 就 潜 心 书

shǐ zhuān yǐ shòu tú zhù shù wèi zhí tā suǒ cáng de
史 ，专 以 授 徒 著 述 为 职 。他 所 藏 的

shū duō shì míng mò qīng chū rén jí bù hé qīng dài jìn
书 多 是 明 末 清 初 人 集 部 和 清 代 禁

shū yě xǐ huān fēng tǔ mín sú zī liào píng shēng shì
书 ，也 喜 欢 风 土 民 俗 资 料 ，平 生 嗜

书如命。

老先生对读书治学颇多见地。他常说："做学问要老老实实，要脚踏实地去做，不要弄虚作假，自欺欺人。要熟读几本最基本的书，每读一本，要从头到尾地读，不要半途而废；读完一本，再去读第二本。"

正是本着这样一种治学和读书的精神，邓子诚先生才成了一名学识渊博的历史学家。

kuān wéi xiàn　jǐn yòng gōng

宽为限，紧用功，

gōng fū dào　zhì sāi tōng

工夫到，滞塞通。

【注释】宽：时间充裕。滞：阻滞。

【译文】读书学习，时间要安排得多一些，但是仍然要抓紧用功。只要功夫到了，困惑自然而然就迎刃而解了。

一代宗师王国维

wáng guó wéi shì wǒ guó jìn dài zhù míng de shǐ xué dà shī zhè
王国维是我国近代著名的史学大师，浙
jiāng hǎi níng rén　wáng guó wéi nián shào de shí hòu　jiā li shì chuán
江海宁人。王国维年少的时候，家里世传
yǒu wǔ liù kuāng de shū jí　wáng guó wéi lì yòng měi tiān bàng wǎn cóng
有五六筐的书籍，王国维利用每天傍晚从
sī shú huí lái yǐ hòu de shí jiān　jiāng zhè xiē shū dú wán le　hòu
私塾回来以后的时间，将这些书读完了。后
lái tā shòu dào kāng liáng wéi xīn sī xiǎng de yǐng xiǎng　chǎn shēng le　zì
来他受到康梁维新思想的影响，产生了"自
fèn xīn xué　de niàn tóu　tā yí miàn chōng dāng sī shú jiào shī　yí
奋新学"的念头。他一面充当私塾教师，一
miàn fèn jìn zì xué
面奋进自学。

nián tā cóng rì běn xué chéng guī lái　dào shàng hǎi rèn zá
1901年他从日本学成归来，到上海任杂
zhì biān jí　tā bǎ biān jí cái xué　dú shū hé zhù shù jié hé
志编辑。他把编辑才学、读书和著述结合

起来，出版了平生第一本书《静庵文集》。

中年后，他进入了"众里寻他千百度，蓦然回首，那人却在灯火阑珊处"的第三种境界，学术天地豁然开朗。

王国维先生一生清寒，但却治学不辍，所以成了一代宗师，受人敬仰。

180

xīn yǒu yí，suí zhá jì，
心有疑，随札记，

jiù rén wèn qiú què yì
就人问，求确义。

【注释】札记：分条记录，作为参考的文字。确：确确实实。

【译文】学习时碰到不解和疑问，就要把它记下来，如果有机会向别人请教，应当确确实实地弄清楚。

fáng wū qīng qiáng bì jìng
房屋清，墙壁净，

jī àn jié bǐ yàn zhèng
几案洁，笔砚正。

【注释】清：清洁。净：干净。几案：桌子。

【译文】书房要清洁、安静，墙壁要干净，书桌应当整洁，笔墨纸砚等文具要放的端正，这是一个读书人应当做到的。

修饰与学问

běi cháo yǒu gè rén míng zi jiào fēng guǐ xué shí guǎng bó tōng xiǎo
北朝有个人名字叫封轨，学识广博，通晓

gè zhǒng jīng shǐ diǎn jí tā xìng gé gěng zhí jié cāo gāo shàng zì
各种经史典籍。他性格耿直，节操高尚，自

己的书
房、卧室都
收拾得十分整洁。有
人对封轨说："有知识的人是不
需要打扮和修饰的，才学自然会得到世人的
赞赏和肯定。您是个有才有能的贤士，为什
么偏偏要这样做呢？"

　　封轨听了之后，哈哈一笑说："高尚的人
使自己的衣服帽子整洁美好，行为庄重，是
礼节所要求的。为什么非要把那些蓬头垢面
的人称作高尚的君子呢？"质问他的那个人
听了之后，哑口无言。

mò mó piān xīn bù duān
墨磨偏，心不端，

zì bú jìng xīn xiān bìng
字不敬，心先病。

【注释】心：心态。病：私心杂念。

【译文】如果研墨时容易磨偏，那就是因为心态还不够端正；如果写字写不端正，那就是因为你还有私心杂念。

苍天不负有心人

yán zhēn qīng shì wǒ guó táng cháo shí de wěi dà shū fǎ jiā
颜真卿是我国唐朝时的伟大书法家。

dāng yán zhēn qīng gāng gāng sān suì shí tā de fù qīn tū rán yīn
当颜真卿刚刚三岁时，他的父亲突然因

bìng qù shì le shèng xià le tā hé mǔ qīn jiān nán dù rì
病去世了，剩下了他和母亲艰难度日。

mǔ qīn shì yí gè jì shàn liáng yòu jiān qiáng de nǚ zǐ shēng huó
母亲是一个既善良又坚强的女子，生活

suī rán jiān nán tā duì hái zi yào qiú què shí fēn yán gé
虽然艰难，她对孩子要求却十分严格。

yán zhēn qīng cóng sì suì jiù kāi shǐ xué xí xiě zì yóu yú jiā
颜真卿从四岁就开始学习写字，由于家

zhōng pín kǔ mǔ qīn méi yǒu qián mǎi zhǐ mò gōng tā xiě zì zhī xū
中贫苦，母亲没有钱买纸墨供他写字之需。

xiǎo zhēn qīng fēi cháng shàn jiě rén yì tā lǐ jiě mǔ qīn de kǔ zhōng
小真卿非常善解人意，他理解母亲的苦衷，

zì jǐ xiǎng chū le bǔ jiù de fāng fǎ
自己想出了补救的方法。

他没有告诉母亲，独自到外面挖了很多黄土，又用水把黄土搅和成了稀泥，然后把自己家的墙壁擦得干干净净，拿着刷子蘸了稀泥在墙壁上练字。他写字特别认真，写完了一墙壁，就用水将墙壁冲刷干净，接着写。他每天坚持写几墙壁的字，从不间断，最终苍天不负有心人，他练就了一手好字，名扬四海。

弟子规
DI ZI GUI

184

liè diǎn jí　　yǒu dìng chù
列 典 籍 , 有 定 处 ,

dú kàn bì　　huán yuán chù
读 看 毕 , 还 原 处 。

【注释】列：放置。毕：结束。

【译文】放置书籍，应当有固定的地方，当读完之后，应当放回原处。

suī yǒu jí　　juàn shù qí
虽 有 急 , 卷 束 齐 ,

yǒu quē sǔn　　jiù bǔ zhī
有 缺 损 , 就 补 之 。

【注释】卷：卷帙，书本。束：捆绑。齐：整齐。补：修补。

【译文】我们应当爱护书籍，即使遇到紧急事情，也要把书放置整齐，如果发现书页有缺损，还应该马上将它修补好。

书就是生命

xiè guó zhēn shì wǒ guó xiàn dài zhù míng de cáng shū jiā hé mù lù
谢 国 桢 是 我 国 现 代 著 名 的 藏 书 家 和 目 录

xué jiā　　tā yì shēng ài shū chéng pǐ　　cáng shū　　dú shū　　zhù shū
学 家 。 他 一 生 爱 书 成 癖 , 藏 书 、 读 书 、 著 书 ,

到年老也没有停止过。

谢国桢每次得到好书都欣喜不已，而且不畏劳苦，为所得图书著录。

谢国桢先生的书斋名为"瓜蒂庵"，十年动乱中，先生受到很大冲击，但仍冒着极大的风险，著录不辍，他说："我没有了书，也就没有了生命，活着还有什么意思呢？"

晚年，他将自己毕生珍藏的图书和文物都捐献给了中国社会科学院历史研究所。

fēi shèng shū　　bǐng wù shì
非圣书，屏勿视，

bì cōng míng　　huài xīn zhì
蔽聪明，坏心志。

【注释】圣书：指儒家经书。屏：放弃。

【译文】不是好书益书，应该丢掉，不要去看，因为这样的书会淹没你的才智，损害你的思想与志向，危害很大。

wù zì bào　　wù zì qì
勿自暴，勿自弃，

shèng yǔ xián　　kě xùn zhì
圣与贤，可驯致。

【注释】勿自暴，勿自弃：《孟子·离娄上》："言非礼义，谓之自暴也；吾身不能居仁由义，谓之自弃也。"驯：渐进，逐渐。致：达到。

【译文】不要说话不讲道理，也不要行事胡作非为，这是文人的大忌；不要自暴自弃，高尚的品德和出众的才华，都是可以慢慢培养起来的。